KËSULËKUQJA

& PËRRALLA TË TJERA TË FAMSHME

(versioni me ilustrime)

LIBRASHQIP

Copyright © 2024 *librashqip.al*

A B D I K I M

Gjithë materiali i këtij vëllimi është riprintuar me të drejtë. Është bërë çdo përpjekje për të konstatuar dhe njohur statusin e të drejtës së autorit, por nëse do të kishte pasur ndonjë gabim të paqëllimtë nga ana jonë, do të ishim të lumtur ta korrigjonim gabimin në printimet e mëvonshme.

Distributor:
librashqip.al

Ilustrimet:
Jonathan Bistow

Botimi i I, 2024
ISBN: 978-1-300-88514-6

Përmbajtja

Kësulëkuqja dhe përralla të tjera

Magjia e përjetshme e përrallave

Përrallat janë jehona e përjetshme e trashëgimisë njerëzore kulturore, që thurin së bashku fije të imagjinatës, moralit dhe mrekullisë. Nga pyjet e mbuluara me mjegull ku Kësulëkuqja ndeshej me ujkun dinak, te këpuca e qelqtë që ndryshoi fatin e Hirushes, këto histori kanë magjepsur breza të tërë, duke kaluar përtej kohës dhe gjeografisë. Ato janë legjendat e pëshpëritura të paraardhësve tanë, të kaluara brez pas brezi, tashmë të pavdekshme në faqet e kësaj libri.

Përrallat janë shumë më tepër sesa thjesht histori. Ato janë bartëse të të vërtetave universale dhe urtësive të lashta. Në thelbin e tyre, këto përralla eksplorojnë aspektet themelore të përvojës njerëzore — dashurinë, guximin, tradhtinë dhe shpëtimin. Ato na mësojnë leksione të vlefshme jete, shpesh përmes tregimeve më të thjeshta.

Në "Kësulëkuqja", mësojmë rëndësinë e kujdesit dhe rreziqet e largimit nga rruga e drejtë. "Hirushja" flet për

I

virtytet e mirësisë dhe durimit, ndërsa "Borëbardha" na kujton rreziqet e smirës dhe fuqinë e bukurisë së brendshme. Këto tregime rezonojnë sepse reflektojnë frikërat dhe dëshirat tona më të thella, duke i paraqitur ato në një mënyrë tërheqëse dhe të kuptueshme.

Për më tepër, përrallat kanë një aftësi të jashtëzakonshme për t'u përshtatur dhe për të qëndruar. Ato janë treguar dhe ritreguar, të ripërtërira nga çdo kulturë që i përqafon. Kjo përshtatshmëri siguron që ato të mbeten të rëndësishme, duke folur për çdo gjeneratë të re në mënyra të reja dhe kuptimplota.

Në këtë koleksion, çdo histori shoqërohet me ilustrime që sjellin në jetë këto përralla të përjetshme. Arti i ilustrimit është vetë një formë tregimi, që kap thelbin dhe emocionin e çdo momenti narrativ. Përmes ngjyrave të gjalla, detajeve të ndërlikuara dhe kompozimeve imagjinative, ilustrimet kanë fuqinë të transportojnë lexuesit në mbretëri fantastike, duke bërë të mundur të pamundurën.

Ilustrimet shërbejnë si zemra vizuale e një përralle, duke tërhequr lexuesit në botët magjike ku këto histori zhvillohen. Ato kapin dritën në lëkurën e Borëbardhës, shkëlqimin delikat të këpucës së qelqtë të Hirushes dhe kërcënimin e errët që fshihet në hijet e pyllit. Çdo penelatë dhe vijë lapsi është një portë, duke ftuar lexuesit të shohin botën përmes syve të personazheve, të ndiejnë gëzimet dhe frikërat e tyre sikur të ishin të tyret.

Në një epokë të dominuar nga media digjitale, kënaqësia taktile e një libri të ilustruar bukur është një thesar. Ilustrimet në këtë koleksion janë krijuar për të plotësuar dhe për të pasuruar narrativat, duke krijuar një marrëdhënie simbiotike midis tekstit dhe imazhit. Ato nuk janë thjesht zbukurime, por komponentë integralë të përvojës së tregimit, duke pasuruar udhëtimin e lexuesit përmes këtyre përrallave të dashura.

Ndërsa zhyteni në faqet e këtij libri, po niseni në një udhëtim përmes imagjinatës kolektive të njerëzimit. Këto histori nuk janë thjesht relike të së kaluarës; ato janë entitete të gjalla që vazhdojnë të evoluojnë dhe të frymëzojnë. Ato na sfidojnë të reflektojmë mbi jetën tonë dhe botën përreth nesh, të gjejmë guxim në përballjen me vështirësitë dhe të besojmë në të jashtëzakonshmen. Në këtë koleksion, magjia e përrallave festohet si në fjalë ashtu edhe në imazh. Çdo histori ju fton të rizbuloni magjinë e fëmijërisë tuaj, të shihni botën me sy të freskët dhe të besoni në fuqinë e ëndrrave. Ilustrimet, të krijuara me kujdes, shërbejnë si një udhërrëfyes vizual përmes këtij udhëtimi fantastik, duke ndriçuar rrugën me bukuri dhe mrekulli.

Le të jetë ky libër një portë drejt mbretërive magjike të dikurshme, ku e mira triumfon mbi të keqen dhe ku çdo histori përfundon me premtimin e një fillimi të ri. Mirë se vini në botën e përrallave—një botë ku çdo gjë është e mundur dhe ku fuqia e përhershme e imagjinatës mbretëron sovrane.

Shpresa ime është që ky përpilim do të ringjallë ndjenjën tuaj të mrekullisë, duke ju lejuar t'i shihni këto përralla klasike me sy të rinj. Le t'ju frymëzojë guximi i heronjve, e keqja poshtërsi t'ju dridhë, dhe bukuria e ilustrimeve t'ju mahnisë.

Shënim i botuesit

Kësulëkuqja

& Përralla të tjera të famshme

versioni me ilustrime

Kësulëkuqja

Në një fshat gazmor të vendosur buzë një pylli, jetonte një vogëlushe e hirshme me nënën e saj. Ishte shumë e bukur. Kishte një fytyrë të trëndafiltë porsi një mollë, sy të kaltër si qielli i pranverës dhe flokë kaçurrela e të verdhë si gruri i pjekur.

Përtej pyllit banonte gjyshja e saj, një plakë simpatike, që e donte shumë të mbesën, së cilës, kur mbushi shtatë vjeç, i kishte dhuruar një mantel fort të bukur me një kapuç të kuq. Sa herë që dilte nga shtëpia, vogëlushes i pëlqente ta vishte atë, prandaj gjithë banorët e fshatit ia ngjitën emrin *Kësulëkuqja*. Sapo mbaronte punët e shtëpisë, vajza vraponte në pyll, ku jetonin kafshë të vockëla, me të cilat kishte miqësi. Çdo mëngjes herët ajo i merrte me radhë për të parë nëse kishin ushqim të mjaftueshëm, nëse putra e ketrushit ishte shëruar dhe nëse lepurushët kishin pushuar së bezdisuri iriqin plak.

Në një mëngjes pranvere, një lepurush i bardhë arriti duke gulfuar te shtëpiza e Kësulëkuqes dhe i tha:

- Më dërgoi gjyshja e jote. Ka zënë krevatin, ka kollë dhe i janë mbaruar ushqimet. Duhet të nxitosh për tek ajo!

Nëna përgatiti me kujdes një shportë të vogël plot me gjëra të mira, në të cilën vuri edhe një shurup për kollën. Kurse vogëlushja veshi mantelin e saj me kapuç të kuq.

- Të lutem, - i tha nëna, - çoja të gjitha këto gjyshes dhe mos u ndalo rrugës sepse nuk do të dëshiroja që të takohesh me njerëz të këqij.

Vogëlushja u vu për rrugë e shoqëruar nga miku i saj i vogël. Kaluan pak çaste dhe ajo nuk ishte më e vetëm. Një drenushe i vogël doli shpejt nga pylli dhe eci përkrah saj. Edhe ketrushi nuk deshi të mbetej pas, ai doli nga strofka dhe filloi ta ndiqte me kërcime të vogla. Shoqërinë e vogëlushes e plotësuan edhe zogjtë, që njëri pas tjetrit uleshin mbi shportën e Kësulëkuqes, duke çukitur ndonjë thërrime nga ëmbëlsira, që nëna kishte bërë për gjyshen. Pas një ore rrugë Kësulëkuqja u tha;

- Tani kthehuni nëpër shtëpitë tuaja pa bërë naze, sepse nënat mund të jenë shqetësuar.

Prishaqejfas e disi buzëvarur kafshët e vogla morën rrugën e kthimit por më parë e këshilluan;

- Ki kujdes Kësulëkuqe, sepse ujku i keq andej nga mbrëmja del nëpër pyll dhe, po takoi fëmijë, i ha përnjëherë. Ec shpejt e mos u ndalo!

- Mos keni merak!... Do të kem kujdes! - tha vajza dhe vazhdoi të ecte vetëm e me hap të shpejtë.

Por në pyll kishte shumë luleshtrydhe të vogla e të kuqe me aromë të mirë dhe Kësulëkuqja mendoi: "Luleshtrydhet i pëlqejnë edhe gjyshes! Tani do të mbledhë ca shpejt e shpejt e do t'ia çoj... kam për të humbur vetëm gjysmë minute." Por, luleshtrydhe në këtë anë dhe e lodhur në anën tjetër, kaloi shumë kohë dhe vogëlushja s'po kujtohej.

Papritur dëgjoi një kërcëllimë të lehtë që vinte nga një grumbull shkurresh. Ngriti kokën, shikoi andej dhe pa dy sy të mëdhenj. Kësulëkuqja u rrëqeth dhe filloi të dridhej edhe më shumë kur e kuptoi se ata sy të këqij ishin sytë e ujkut!

Ujku doli nga vendi ku ishte fshehur dhe, duke u përpjekur ta hollonte e ta ëmbëlsonte zërin, i tha;

- Ku po shkon në këtë orë, vogëlushe e bukur?

- Po shkoj te gjyshja ime e sëmurë për t'i çuar mjaltë, një ëmbëlsirë dhe gjithë ato luleshtrydhe. - u përgjigj Kësulëkuqja.

- E ku banon gjyshja jote? - pyeti prapë ujku.

- Përtej pyllit. - tha vajza e padjallëzuar.

Ujku dinak i uroi shërim të shpejtë për gjyshen dhe, pasi e përshëndeti Kësulëkuqen, me katër kërcime të shpejta u zhduk nëpër gjethnajën e pyllit. E habitur vogëlushja morri rrugën përsëri, ndërkohë që ujku, duke vrapuar si era, kishte arritur në afërsi të shtëpisë së gjyshes.

Që të mund të hynte brenda pa e njohur kush, ujku mblodhi një tufë të madhe lulesh dhe u fsheh pas tyre, me shpresën se do të dukej si Kësulëkuqja dhe se do të bënte çmos që gjyshja ta kuptonte sa më vonë të ish e mundur se kishte përballë saj ujkun. Iu afrua shtëpisë me hapa hajduti dhe trokiti tri herë në portë.

- Kush është? - pyeti nga brenda një zë i hollë.

Ujku plak u përpoq t'i përgjigjej me një zë si fëmijë:

- Jam Kësulëkuqja. Kam ardhur të të sjellë ca ushqim dhe ilaçet.

- Tërhiqe spangon e shulit dhe dera do të hapet. - u përgjigj gjyshja.

Ujku i prapë këtë priste dhe hyri.

- Afrohu, vogëlushe! Hajde e më jep një të puthur! - tha gjyshja, e cila nuk e dinte rrezikun që po i kanosej.

Ujku nuk priti ta lusnin më. Ai bëri një goxha kërcim dhe e kullufiti menjëherë gjyshen e shkretë.

Pasi e kishte shijuar mirë e mirë atë që hëngri, filloi të rrëmonte në dollap. Gjeti një këmishë nate dhe një shtufe e u sajua me to. Pastaj u pa me kujdes në pasqyrë për t'u bindur se midis tij dhe gjyshes nuk kishte asnjë ndryshim. U afrua te porta, e mbylli duke i dhënë një të shtyrë me putër, pastaj shkoi e u shtri në krevatin e gjyshes, duke pritur Kësulëkuqen, që nuk vonoi të vinte. Pas pak minutash, në portë u dëgjuan tri trokitje të lehta.

- Kush është? - pyeti ujku, duke u përpjekur të bënte zërin e gjyshes.

- Jam unë, Kësulëkuqja, gjyshe! - tha vajza.

Ujku u mbulua mirë me batanije, priti ca, pastaj bërtiti:

- Tërhiqe shulin dhe porta do të hapet!

Kësulëkuqja tërhoqi shulin dhe porta u hap. Vuri shportën mbi tavolinë e iu afrua gjyshes.

- Si ndjehesh, gjyshe? - e pyeti.

- Jo mirë – u përgjigj ujku si gjyshja.

Ndërkohë, ujku filloi të bënte ca lëvizje të ngathëta, duke zbuluar pa dashur putrat e tij. Diçka ishte e çuditshme me gjyshen mendoi Kësulëkuqja.

- Gjyshe, gjyshe, pse i ke veshët kaq të mëdhenj?!

- Që të dëgjojë më mirë! - u përgjigj ujku me zë të gjyshes.

- Gjyshe, gjyshe, pse i ke sytë kaq të mëdhenj?!

- Që të shohë ty më mirë! - foli prap ujku.

- Gjyshe, gjyshe, pse e ke gojën kaq të madhe?!

- Që të gëlltijë më mirë! - dhe sapo tha këte ujku u çua dhe e gëlltiti Kësulëkuqen.

Ujku, që më në fund ishte i ngopur, ra përsëri në krevat i kënaqur dhe fjeti. Kishte humbur në një gjumë kaq të thellë saqë, kur gërhiste, tundej e gjithë shtëpia sikur po binte tërmet. Në këtë kohë kaloi atypari me pushkën krahaqafë gjuetari *Ubaldo*, një i njohur i gjyshes. Kur dëgjoi këtë zhurmë, u afrua me vrap te shtëpia dhe mendoi: "Çfarë mund t'i ketë ndodhur plakës së mirë?"

Ç'është e vërteta, Ubaldoja nuk ishte ndonjë gjahtar i guximshëm dhe gjatë jetës kishte vrarë vetëm ca miza mbi hundën e vet. Në vend që të hynte nga dera, babaxhani shikoi me kujdes nga një dritare gjysmë e mbyllur, që binte në dhomën e gjyshes. Në krevatin e saj pa ujkun të shtrirë qetësisht, që po flinte për shtatë palë qejfe.

Atëherë Ubaldoja mbushi armën, e futi tytën e saj te dritarja dhe mori shënjestër. Papritur, ai goditi shkarazi stomakun e ujkut, që plasi si një tullumbace. Në këtë pështjellim, Ubaldoja u turr me vrap në shtëpi. Para syve të tije u shfaqen Kësulëkuqja dhe gjyshja shëndoshë e mirë pranë lëkurës së ujkut, që tashmë kishte ngelur top në vend.

Ato të ngratat e falënderuan me gjithë zemër Ubaldon, duke e puthur e përqafuar disa herë. Gjuetarit të ndrojtur i vinte turp nga kjo dashuri e mashe që po tregonin për të, por ama kuptohej se i pëlqente që, krejt papritur, po e vështronin si hero.

Në pyll, kur e morën vesh që Kësulëkuqja dhe gjyshja e saj kishin shpëtuar, ndërsa ujku i egër nuk do të mund t'i bënte më dëm askujt, të gjithë u gëzuan pa masë. Edhe nëna e fali Kësulëkuqen. Kjo premtoi se, në të ardhmen, do të tregohej më e mençur dhe nuk do të ndalej më për të biseduar në rrugë me të panjohur, sepse ujq ka gjithandej dhe sepse më të rrezikshmit janë ata që shtiren sikur janë të mirë e të sjellshëm

Mama dhia dhe shtatë kecat

Na ishte një herë Mama dhia me shtatë kecat. Ata jetonin në një shtëpi te bukur me një oxhak te madh.

Shpesh Mama dhia shkonte në treg për tu blerë kecave ushqim. Gjithmonë para se te dilte nga shtëpia i porosiste kecat te mos ia hapin derën askujt, pasi ujku mund t'i mashtronte ato.

Një dite prej ditësh ujku i uritur fshihet pas pemëve dhe pret aty derisa Mama dhia të niset për në treg. Kur shikon që kecat janë në shtëpi vetëm afrohet tek dera dhe troket. Kecat nga ana tjetër e derës pyesin:

- Kush është?

- Jam unë Mama dhia, hapeni derën vogëlushet e mi, - ju thotë ujku me zërin e tij te trashë.

- Nxirre këmbën poshtë derës, - i thonë kecat pasi e kuptojnë se ai nuk është zëri i nënës së tyre.

Ujku bëri siç i thanë kecat, dhe fut poshtë derës këmbën e tij të madhe dhe të zezë.

Kecat i thonë menjëherë:

- Largohu, ti nuk je Mama dhia, ajo e ka zërin e hollë dhe të ëmbël, ndërsa ti e ke të trashë. Ajo e ka këmbën e bardhë si bora, e jotja është e zezë dhe ne e dimë që je ujku prandaj nuk te duam.

Ujku i zhgënjyer nga dështimi i tij largohet, por nuk dorëzohet. Merr një thes me miell dhe fut këmben brenda derisa ajo bëhet e bardhë, pastaj merr mjaltin dhe fillon të hajë derisa zëri i tij bëhet i hollë si ai i Mama dhisë. Ndërkohe kecat e zgjuar, duke e ditur qe ujku do të rikthehej, vendosin t'i ngrëne një kurth. Vendosin mbi zjarrin e oxhakut një kazan plot me ujë. Ujku rikthehet tek shtëpia e kecave. Troket ne derë:

- Jam Mama dhia bijtë e mi, hapeni derën, - thotë ujku me zërin e hollë.

- Na e trego këmbën, - i thonë kecat.

Ujku tregon këmbën poshtë derës, por gjate rrugës mielli kishte rene prandaj këmba e tij ishte sërish e zezë. Kecat e kuptojnë qe është ujku por vendosin ta hedhin në kurth.

- Mama dhi, kemi humbur çelësin, por ti mund të hysh nga oxhaku, po të presim, na ka marr shumë malli për ty.

Ujku mendjelehtë, i gjithë shend e verë ngjitet ne oxhak pa menduar se aty poshtë mund të ketë një zjarr që digjet. Hidhet poshtë nga oxhaku dhe përfundon në kazanin me ujë të nxehtë që kecat kishin përgatitur. Kecat u gëzuan kaq shumë.

Kecat e lumtur qe i kishin dhëne një mësim te mirë ujkut, kërcenin nëpër shtëpi, ndërkohë qe ujku ulërinte në zjarr. Kur Mama dhia kthehet në shtëpi, kecat i tregojnë se çfarë kishte ndodhur, dhe ajo i përgëzon te vegjlit e saj qe ia kishin dëgjuar fjalën. Që nga ajo ditë ujku nuk guxoi më të kthehej tek shtëpia e kecave.

Princi dhe e Bukura e Dheut

Një ditë prej ditësh, Princi, djali i mbretit do martohej... mirëpo pak ditë para se të martohej ai i thotë të atit se do dali për gjah...

I ati i thotë - Tani është dasma, nuk mund të ikësh...

Princi i thotë – do vete e do kthehem në kohë... - dhe niset për gjah Princi...

Kur duke ecur sheh një shegë ku njëra nga kokrrat ishte më e kuqe dhe shkëlqente shumë... Ai afrohet tek fshatarët dhe i pyet ata.

- Si është e mundur që shkëlqen më shumë nga e tjerat kjo shegë?

- Mos e këput - i thonë fshatarët, - se aty ndodhet e Bukura e Dheut.

Princi i pyet ata se a e kishin parë ndonjë herë të Bukurën e Dheut. Fshatarët i thonë Princit:

- Po e kemi parë... del ndonjëherë natën dhe futet prapë brenda!

Dhe Princi vendosi të qëndroj aty atë natë dhe të priste të shikonte të Bukurën e Dheut kur të dilte. Fshatarët i japin një krevat për t'u shtrirë dhe e rrethojnë Princin me lule dhe me llokume, nga koka e deri tek këmbët. Me pas ai u shtri dhe bën sikur fle. Natën vonë e Bukura e Dheut i thotë të ëmës:

-Nëno do dal pak shëtitje!

Ndërsa e ëma e kundërshton – Jo se po te preku njeri nuk futesh më dot brenda ne shegë!

E bukura nuk e dëgjoi të ëmën dhe doli përjashta. Hapet shega del e Bukura e Dheut, kur aty pranë shikon Princin që e kishte zënë gjumi. Ajo e puth në ballë Princin, ha ca nga llokumet dhe futet brenda prapë.

Të nesërmen në mëngjes, kur zgjohet Princi, e pyesin fshatarët:

-A e pe të Bukurën e Dheut o Princ?

Ai e kupton qe e kish zënë gjumi dhe vendosi të qëndronte prapë që ta shikonte natën e dytë, por prape na ndodhi e njëjta gjë si me natën e parë.

Natën e tretë Princi ndenji me kujdes, dhe kur e Bukura e Dheut u afrua ta puthte e të haj llokume prapë, Princi e kapi. Menjëherë shega u mbyll dhe e Bukura e Dheut nuk futej dot me brenda.

Princi u mahnit nga bukuria e saj. I thotë asaj që ta priste aty sa të vinte në pallatin mbretëror dhe do kthehej sërish që ta merrte me vete të Bukurën e Dheut.

Dhe ikën Princi për në pallat… Aty ai shikon se ishte mbushur plot me njerëz se kishte ardhur dita e dasmës. Kënga kishte nisur dhe daullet binin.

E Bukura e Dheut që kishte ngelur vetëm, po priste e po priste, mirëpo më kot, Princi nuk po vinte. Ajo vendosi të shkonte tek pallati mbretëror…

Vishet si dervish dhe kapuçin e ul deri tek sytë që mos e njihnin. Kur afrohet atje e ndalojnë ushtarët. Ajo u thotë se e kishte ftuar Princi për dasmën e tij, dhe ushtarët e len. Hyn në pallat dhe ca ushtar e çuan në një dhome dhe po prisnin që të vinte Princi ta shikonte që ishte e ftuar e Princit me të vërtet apo gënjeu…

Ndërkohe vjen Princi dhe menjëherë ai e njeh që ishte e Bukura e Dheut, dhe i thotë:

- Nga po na vjen o Baba Dervish?

E Bukura e Dheut i thotë…

- Rrugës tënde imzot!

- Po çfarë pe andej Baba Dervish?

- Një të bukur Sulltan!

- Po çfarë thoshte Baba Dervish?

– Trëndafila manushaqe në dyshek të zotërisë tate, më dhe besën e më le dhe shega më s'më nxë.

Princi po qeshte dhe i tha: - Ma thuaj edhe një herë të lutem!

Pastaj Princi i tha orkestrës të pushonte dhe e mori në dhomën e tij të Bukurën e Dheut.

Kur erdhi nusja qe ishte shumë e shëmtuar, i dhanë asaj shumë ar e pasuri dhe e nxorën me rrobat e Dervishit që të ikte… Ndërsa e Bukura e Dheut veshi fustanin e nuses dhe doli bashkë me Princin.

Te gjithë u habitën se si kishte ndryshuar aq shumë nusja e Princit, ishte bere shumë e bukur, se nusja që përzunë ishte e shëmtuar, ndërsa e Bukura e Dheut ishte shumë e bukur…

Dhe kështu ata u martuan bashkë dhe u trashëguan…

Hirushja

Na ishte një herë një vajzë që jetonte me njerkën dhe dy bijat e saj. Jetimja e vogël, kryente të gjitha punët e shtëpisë dhe e mbulonte hiri. Nga hiri që e mbulonte e thërrisnin Hirushe. Edhe pse e mbulonte hiri, ajo ishte shumë e bukur, ndërsa vajzat e njerkës ishin edhe të shëmtuara, edhe zemër zeza.

Një ditë, i dërguari i mbretit, solli lajmin e një balloje mbretërore.

- Princi do të zgjedhë vajzën më të bukur për nuse. Të gjitha vajzat e mbretërisë janë të ftuara në ballo, - njoftonte i dërguari i mbretit.

Vajzat e njerkës filluan të bëheshin gati për në ballo. Për Hirushen kjo do të thoshte edhe më shumë lodhje. Ajo lante e hekuroste veshjet e tyre dhe i ndihmonte të bëheshin gati e të zbukuroheshin. Vajzat e njerkës besonin se do të rrëmbenin zemrën e princit.

Njerka i shoqëroi vajzat në pallatin mbretëror. Hirushja i përcolli gjer tek porta ku priste një karro e madhe. Kur ato u larguan, Hirushja mbeti si e shtangur. Balloja e princit, nuk ishte për të. Njerka i kishte kërkuar të qëndronte mbyllur në shtëpi; të pastronte hirin në vatër e të lante dyshemenë. Hirushja psherëtinte nga dhimbja dhe ndjente lotët që po i mbushnin sytë.

Hirushja u ul pranë vatrës. Ndante fasulet nga thjerrëzat e qante me zë të shuar. Në kulmin e mërzisë dhe të dhimbjes, u shfaq një zanë e kaltër. Ajo i tha Hirushes të shkonte gjer në kopsht e t'i sillte kungullin e madh rrumbullak. Hirushja vrapoi në kopsht dhe i solli zanës, kungullin e madh. Zana rrotulloi shkopin magjik dhe kungulli u shndërrua në një karro të bukur si ato të princeshave e të princërve.

Zana preku rrobat e Hirushes me shkopin magjik. Nga prekja e shkopit magjik, rrobat e Hirushes u shndërruan në rroba të bukura si të një princeshe. Në këmbë mbante një palë këpucë të kristalta.

- Hirushja ime, mos harro të kthehesh para orës 12 të natës në shtëpi. Fiks në orën 12, do të shndërrohesh përsëri në Hirushe, përmendi Zana.

Zana e ngjiti lart në karro si të ishte një princeshë. Kur Hirushja hyri në pallatin mbretëror, princi shtangu nga bukuria e saj dhe ra përnjëherësh në dashuri me të. Ai e ftoi të vallëzonin bashkë. Princi vallëzoi me Hirushen gjatë të gjithë mbrëmjes.

Kur Princi po bëhej gati t'i thoshte Hirushes se çfarë ndjente, ora filloi të trokiste. Hirushja e la vallëzimin dhe vrapoi të largohej vetëtimthi. Princi i hutuar e ndoqi pas. Ndërsa largohej me nxitim, Hirushes i mbeti njëra nga këpucët e kristalta në shkallë. Princi mori këpucën në duar. Pas pak, vajza nuk do të dukej gjëkundi.

Të nesërmen Princi njoftoi se do të martohej me vajzën që do t'i vinte këpuca e mbetur në shkallët e pallatit mbretëror. Oborrtarët shkuan shtëpi më shtëpi, por më kot. E provuan edhe dy vajzat e njerkës. Këpuca nuk ishte për këmbën e tyre. Në çastin e largimit, oborrtarët dalluan Hirushen pranë vatrës.

Oborrtarët e ftuan edhe Hirushen për të provuar këpucën e mbetur në shkallët e pallatit mbretëror. Njerka dhe vajzat e saj nuk deshën që Hirushja të provonte këpucën. Por këpuca ishte për këmbën e saj e për asnjë këmbë tjetër. Hirushja e provoi dhe këpuca i rrinte perfektë. Vajzat e njerkës gati sa nuk plasën nga zilia. Princi u lumturua që zbuloi vajzën e ëndrrës së tij.

- Unë të dua dhe të kërkoj të martohesh me mua, - tha Princi.

- Edhe unë të dua, - tha Hirushja.

Ata u martuan dhe jetuan të lumtur.

Miza dhe bleta

Një ditë miza mori një vendim të guximshëm: Do të shoh si jeton në pallatin e saj kushërira ime, Bleta – tha ajo. U stolis, veshi fustanin e zi të mbrëmjeve, mantelin ngjyrë gri dhe ashtu e krekosur, mbërriti në pallat e trokiti "tak-tak".

– Oh përshëndetje zonja Mizë! Çfarë e mirë ju solli! - tha një bletëz, roje tek porta.

– Përshëndetje! Jam një kushërirë e largët e zonjës së shtëpisë. Kam ardhur t'i bëj një vizitë, – tha Miza me mirësjellje.

– Prisni pak, ju lutem! Një minutë sa t'i them mamit.

Gjatë kohës që bleta e vogël u largua, Miza rregullonte fustanin.

– Zonja Mizë, nëna më tha, që për fat të keq, nuk mund t'ju takojë, megjithëse ka shumë dëshirë. Në çdo moment të ditës është ë zënë me punë. Madje më porositi t'ju them se nuk mund të hyni brenda në pallat, pasi nuk ka dhoma për vizita. Edhe në cepat më të vegjël të pallatit kryhen punë të rëndësishme. Por meqenëse keni ardhur nga larg dhe jeni kushërira jonë, mund t'ju presë në verandën tonë ose në kopsht, ku të dëshironi.

Bleta e vogël, pasi la tek vendi i rojes një motër tjetër, e shoqëroi Mizën në kopsht.

– Kushërirë, – i tha Miza, – kam dëgjuar që përgatisni ëmbëlsira të mrekullueshme. Është e vërtetë?

– Po, e vërtetë. Tani do t'ju sjellin një ëmbëlsirë të shijshme dhe ujë të ftohtë.

– Sa mirë! - thirri e kënaqur Miza dhe zuri vend në një kolltuk guri aty pranë. Pastaj pa i ardhur aspak turp u zhyt me kokë në mjaltin që i sollën. - Bletëzë, - e pyeti Miza duke lëpirë gishtërinjtë, – ju i përgatisni këto ëmbëlsira të mrekullueshme?

– Po.

– Dhe të gjitha vetë i hani?

– Jo, u japim njerëzve të mirë e sidomos fëmijëve, fqinjëve, të sëmurëve!

– Sa budallaqe jeni që u jepni njerëzve tërë këto gjëra.

– Po ju, zonja Mizë, çfarë u jepni njerëzve?

– Ne? Ç'më bëre për të qeshur! Ha-ha! Asgjë!

– Po, pse? Nuk i doni?

– Ne i duam, por ata na shajnë, se i bezdisim, se i bëjmë pis, se mbartim mikrobe, sëmundje e shumë gjëra të tilla! Na kanë inat kushërirë, shumë inat! Ou! Por ja, edhe këmbët e tua janë të pista. Edhe ti shpërndan mikrobe?

– Jo zonja Mizë, është nektar lulesh. Me këtë ushqej vëllezërit e motrat.

– Pse ti i ushqen?!

– Pse vallë ju, nuk i ushqeni vëllezërit e motrat?

– Vëllezërit e motrat?! Nuk kam! Nuk e di fare në kam apo jo.

– Po pallati juaj, ku ndodhet zonja Mizë?

– Ne nuk banojmë në pallat!

– As shtëpi? Po ku banoni?

– As shtëpi! Banojmë ku të mundemi!

– Me një fjalë…?

– Nëpër shtëpitë e njerëzve. Mbi tavolinat e tyre, mbi krevatet, në rrobat e tyre, në kuzhina. Dhe kur njerëzit janë të pastër dhe na dëbojnë, ne jetojmë në rrugë, ku të mundemi!

– E ç'punë bëni?

– Punë? Jetojmë! Vetëm këtë bëjmë!

– Nuk ndihmoni askënd?! S'më besohet.

- Sa budallaqe je, moj e shkretë! Ndihmoj veten! Dhe kjo mjafton. Por shumë biseduam sot, – u inatos Miza dhe u ngrit. – Nuk ke gjë tjetër për të më treguar?

– Si jo! Kemi lulet e bukura të kopshtit tonë. Eja të tregoj, se cila ka më shumë nektar.

– Unë nuk ushqehem me nektar. Kam nevojë për gjëra të tjera.

– Oh, po çfarë dëshironi, zonja Mizë? Më thoni do t'jua përgatis me kënaqësi.

– Duket që ju jetoni shumë ndryshe nga ne. Pa prit njëherë. Nuk ka ndonjë stallë këtu afër?

– Ndodhet një, por është pak larg prej këtej. Ja atje!

– Vallë mos ke parë këtu rrotull ndonjë kafshë të ngordhur?

– Po një qen. Ka ngordhur në atë lëndinën atje. Por mos shko, se do të bësh pis rrobat e tua të bukura!

Miza u largua fluturim pa u përshëndetur fare. Pas pak thirri nga larg: – Do të vij, do të vij përsëri, sepse ju bletët jeni të mira e punëtore.

Kur dëgjoi ato fjalë, bletëza u pikëllua dhe rendi tek mbretëresha, nëna e saj.

– Mami, zonja Mizë, nuk ka shtëpi, nuk kujdeset për vëllezërit dhe motrat. Nuk bën asnjë punë, nuk ndihmon askënd! E di çfarë më kërkoi? Stallë e kufoma kafshësh. Sa u trishtova!

– Mos u trishto, shpirt! Vetëm më dëgjo me vëmendje, – e këshilloi e ëma. Po të vijë përsëri, t'i thuash që mizat të bëjnë shoqëri me mizat dhe bletët me bletët!

Borëbardha

N a ishte një herë një mbret dhe një mbretëreshë, ata e donin shume njëri tjetrin. Por ishin të zemëruar sepse nuk kishin fëmijë. Një ditë të bukur dimri mbretëresha ishte ulur pranë dritares së hapur dhe qepte, kur papritur u shpua në gjilpërë dhe tri pika gjaku ranë në dëborë. Mbretëresha ofshau:

- O sikur të lindja një vajzë të bardhë si dëborë, me buzë të kuqe sikur gjaku e flokë të zeza sikur korbi.

Disa muaj më vonë ajo lindi një vajzë. Vajzaa ishte e bardhë sikur dëbora, buzët i kishte kuq si gjaku dhe flokët e zeza si korbi. Mbretëresha u gëzua shume për lindjen e vajzës dhe e bardhë si ajo ishte e quajtën *Borëbardha*. Mirëpo pas pak kohe mbretëresha u sëmur dhe vdiq. Borëbardha kishte nevojë për një nënë kështu që mbreti u martua. Mirëpo mbretëresha e re dëshironte vetëm një gjë për vete: Të jetë më e bukura në botë.

Ajo kishte një pasqyre magjike, të cilën ajo shpesh pyeste:

- Pasqyrë, pasqyrë në mure që je, kush është më e bukura mbi këtë dhe?

- Ti mbretëreshë, ti je më e bukura mbi këtë dhe! - i përgjigjej pasqyra magjike.

Kështu pasqyra i përgjigjet mbretëreshës sa herë që ajo bënte pyetje. Mirëpo një ditë plotësisht pasqyra u përgjigj:

- Ti mbretëreshë je më e bukura mirëpo Borëbardha është njëmijë herë më e bukur!

Kur dëgjoi këtë mbretëresha u hidhërua shume dhe urdhëroi një gjuetar që të marr Borëbardhën në pyll dhe ta vriste:

- Dua të më biesh zemrën e saj, të më vërtetosh se ke zbatuar urdhrin.

Gjuetari e mori Borëbardhën në pyll dhe kur deshi ta mbysë ajo iu lut që t'ia fali jetën. Gjuetarit iu dhimbs Borëbardha kështu që ai e lëshoi atë dhe në vend të saj vrau një dre dhe mori zemrën e tij që t'i tregojë mbretëreshës.

Borbardha mori rrugën thellë në pyll, pasi i premtoi gjuetarit që mos të kthehet kurrë më në kështjellën mbretërore. Ajo vrapoi deri sa u lodh, kur pa një kasolle të vogël. Brenda të gjitha gjërat ishin shume të vogla. Tryeza ishte shtruar. Ajo numëroi shtatë pjata dhe shtatë gota. Borëbardha mori nga një kafshatë ushqim nga çdo pjatë dhe një gllënjkë lëngu nga çdo gotë dhe pastaj ra në shtratin më të madh nga shtatë shtretër që ishin aty.

Pronarë të kasolles ishin shtatë xhuxha. Ata u kthyen në shtëpi pasi kishin përfunduar punën, mirëpo kur hynë në shtëpi u befasuan kur kuptuan se dikush kishte qenë aty.

I pari tha:

- Karriga ime nuk qëndron ashtu sikur se unë e kam lenë.

I dyti:

- Dikush paska ngrënë nga pjata ime.

I treti tha:

- Dikush ka pirë nga gota ime.

Duke folur mes veti, panë Borëbardhën të shtrire në shtrat. Ajo ishte shume e bukur, menduan ata dhe nuk donin t'ia prishin gjumin por vetëm qëndruan aty dhe shikonin Borëbardhën e bukur. Borëbardha pasi u zgjua, iu tregoi xhuxhave se për çfarë arsye ajo kishte ardhur aty. Xhuxhat i thanë Borëbardhës se ajo mund të rrijë me ta por kur xhuxhët nuk janë në shtëpi të mos lejojë askënd brenda në kasolle.

Në kështjellë mbretëresha zemër keqe vazhdoi të pyes pasqyrën magjike:

- Pasqyrë, pasqyrë në mur që je, kush është më e bukura mbi këtë dhe?

E pasqyra iu përgjigj:

- Mbretëreshë, ti më e bukura je këtu por Borëbardha që jeton në anën tjetër pylli, në kasollen e xhuxhave, ajo dhe njëmijë herë më e bukur është!

Kur dëgjoi këtë, mbretëresha veshi disa rrobe të vjetra e u bë të dukej sik një plakë e keqe dhe u nis për në rrugë të gjejë Borëbardhën.

Pas pak ajo gjeti kasollen e shtatë xhuxhave. E veshur si plakë ajo trokiti në dritare. Kur Borëbardha u paraqit në dritare, plaka nxori mollën më të bukur nga shporta dhe ia shtriu Borëbardhës. Molla ishte aq e kuqe sa Borbardha nuk mundi të refuzojë. Ajo kafshoi mollën mirëpo molla kishte qenë e helmuar dhe Borëbardha ra e vdekur në tokë.

Kur xhuxhat erdhën në kasolle, gjetën Borëbardhën të shtrirë në tokë. Ata menduan se ajo kishte fjetur dhe u munduan të mos e zgjonin mirëpo ajo ishte vdekur. Ajo ishte shumë e bukur sa që iu dhimbsej xhuxhave të varrosin, por në vend ndërtuan një senduk prej qelqi dhe e vendosën atë në pyll që ta vizitonin çdo ditë.

Shkuan shume ditë, javë e muaj. Borëbardha dhe më tutje ishte shume e bukur. Një ditë kaloi një princ aty pranë dhe pa Borëbardhën. Ai qe habitur me bukurin e saj. Princi iu lut xhuxhave që ta lejojnë ta marr Borëbardhën me vete në kështjellën e tij. Xhuxhat pranuan. Shërbëtorët e princit morën sendukun mbi supe dhe u nisën në drejtim të kështjellës së princit. Mirëpo rrugës njeri nga shërbëtorët u rrëzua së bashku me sëndukun. Nga shkundja Borëbardhës i doli kafshata e mollës nga fyti dhe ajo hapi sytë. Princi kur pa se Borëbardha u zgjua u gëzua shumë dhe e mori atë me vete në kështjellë ku së shpejti ata u martuan me një dasmë madhështore.

Mbretëresha zemër keqe kur kuptoi se Borbardha ishte gjallë u zemërua aq shumë sa që vdiq.

E Borëbardha qe dhe mbeti më e bukura mbi dhe.

Magjia e zanave

Në fshatin e bukur të zanave jetonin një mbret dhe një mbretëreshe. Ata kishin vetëm një djalë të vetëm, të fortë, të pashëm dhe mjaft fisnik. Çdo herë ditëlindjet e tij organizoheshin në mënyrë madhështore por princi ishte i mallkuar nga një magjistar shpirtkeq. Ai e kishte mallkuar princin duke i thënë që në ditëlindjen e tij të 20 nëse s'do ta gjente vajzën e ëndrrave te tij, e gjithë mbretëria, fshati, kafshët, lulet, bimët do ktheheshin ne akull. Ditëlindja e tij po afrohej por asnjë vajze s'ia kishte rrëmbyer zemrën.

Zanat e vogla bukuroshe po endeshin një ditë duke kërkuar një dhuratë për princin. Duke shëtitur ato ndeshen në një vajzë të bukur që kishte humbur rrugën. Ajo quhej Sindi. Zanat e morën në shtëpinë e tyre, e strehuan dhe e ushqyen më së miri. Çdokush që do ta shihte Sindin do dashurohej me të.

Një dite të bukur kur po shëtisnin, ato u takuan me princ Hugon. Princ Hugoja u dashurua menjëherë me Sindin por këtë gjë e mbajti sekret. Po ashtu dhe Sindi u dashurua pas tij. Ai e ftoi Sindin në ditëlindjen e tij.

Magjistari i keq Albazar vështroi çdo gjë dhe në mendjen e tij të ligë i shkrepi që ta rrëmbente Sindin.

Të nesërmen Sindi së bashku me njëbrirëshin (kalin e zanave) u nis për të bërë pazar. Albazar u shndërrua ne një plakë dhe i dhuroi asaj një shami të bukur dhe të qëndisur me trëndafila ngjyrë roze. Sindi u mahnit, ndjeu aromën e saj dhe ra në gjumë të thellë. Njebrirëshi s'kishte ç'të bënte, e mori dhe ua çoi zanave. Ato me magjinë e tyre e zgjuan Sindin dhe e paralajmëruan që të kishte kujdes. Albazar u çmend dhe i tha vetes që do e rrëmbente në mbrëmje kur te gjithë të ishin në gjumë.

Ne mbrëmjen e bukur plot yje kur të gjithë i zuri gjumi, Albazar rrëmbeu Sindin dhe u largua. Të nesërmen ishte ditëlindja e princ Hugos dhe e gjithë mbretëria, gjithë fshati, lulet, bimët, kafshët çdo gjë ishte shndërruar ne akull. Princ Hugo e kuptoi se çfarë kishte ndodhur dhe shkoi tek zanat. Ato i treguan se magjistari Albazar kishte rrëmbyer Sindin. Për ta shpëtuar nga ai duhet t'i merrej shkopi i tij magjik.

Princ Hugo se bashku me zanat u nisen për tek kështjella e Albazarit. Sindi ndodhej në kullën më të lartë. E gjithë kështjella ishte plot akuj të ngurtë të mprehur mirë. Zanat ishin ato që me magjinë e tyre shkrinë akullin, thyen hekurat e dritares së kullës, i dhuruan krahë njëbrirëshit dhe princ Hugo mori Sindin. Ata u larguan dhe shkuan në mbretërinë e princit.

Ishte momenti magjik, Princ Hugo zgjodhi Sindin si princeshën e tij të zemrës. Te nesërmen u organizua dhe ceremonia martesore por aty u shfaq dhe Albazar. Ai plagosi princin me shkopin e tij magjik. Sindi me fortësinë e saj ia rrembeu shkopin, ia theu dhe Albazar u shndërrua në pluhur. Zanat e shëruan princ Hugon. Princi dhe Sindi u martuan dhe jetuan të lumtur në mbretërinë magjepsëse të zanave.

Magjistari i Ozit

Dorotia jetonte në thellësi të Kansasit, me Xhaxha Henrin dhe Teta Emin. Kasollja e tyre kishte vetëm një dhomë. Xhaxha Henri dhe Teta Emi flinin në një shtrat të madh në një anë të saj, ndërsa Dorotia në një shtrat të vogël në anën tjetër. Nën dysheme, kishte dhe një bodrum të mbuluar me një kapak druri, ku strehoheshin kur frynin stuhi të mëdha. Dorotia kishte edhe një qen që e quanin Toto që e ndiqte pas kudo që shkonte. Një ditë moti u prish dhe u shfaq një tornado e madhe. Teto Emi i la punët dhe u shfaq në derë.

-Doroti, shpejt në bodrum!

Dorotia vrapoi të merrte edhe Toton, por kasollja u rrotullua dy apo tre herë dhe u ngrit lart në ajër. Dorotisë i dukej sikur po fluturonte në një balonë që e çonte gjithnjë e më larg. Pas pak, moti u qetësua dhe kasollja u rrëzua në tokë. Dorotia që nuk kishte pësuar asgjë, shtyu me kujdes derën e kasolles fluturake. Ajo gjendej në një vend shumë të bukur. Para saj shtriheshin lëndina të gjelbërta dhe drurë hijerëndë të ngarkuar me fruta të pjekura. Ndërsa ajo kishte humbur pas pamjeve mahnitëse, tre burra të vegjël, xhuxha, të veshur me ca rroba që të habisnin dhe një grua e bukur si një shtojzovalle, u afruan pranë saj.

Munkinët i thanë Dorotisë se shtriga ishte treguar e pamëshirshme me ta. Dorotia i dëgjonte me vëmendje, por ishte e shqetësuar ngaqë nuk dinte si të kthehej në shtëpi, në Kansas. Gruaja që ishte në të vërtetë Zanëmira e veriut, hoqi këpucët nga këmbët dhe ia fali Dorotisë.

- Këto këpucë kanë fuqi magjike, - i tha Zanëmira. - Ndiq rrugën me kalldrëm të verdhë për të arritur në Qytetin Xixëllues. Atje do të takosh Magjistarin e Ozit.

Dorotia bashkë me Toton, u nisën për në Qytetin Xixëllues. Përpara u doli një dordolec që vuante sepse kishte kashtë dhe jo tru në kokë. Dorotia i tha të shkonin bashkë tek Magjistari i Ozit e t'i kërkonte ta bënte të mençur. Ata vazhduan udhën më tej dhe takuan Tinmenin, njeriun metalik. Tinmeni, njeriu metalik, vuante sepse nuk kishte zemër në gjoks. Edhe ai u bashkua me Dorotinë që të shkonin tek Magjistari i Ozit t'i kërkonte një zemër. Duke vazhduan rrugën takuan Luan Zemërlepurin. Ai ishte shumë i ndrojtur dhe i trembur.

- Eja me ne tek Magjistari i Ozit të kërkosh guximin që të mungon, - i tha Dorotia Luanit.

Edhe Luani u bashkua me ta në rrugën për në Qytetin Xixëllues. Ec e ec dhe arritën në Qytetin Xixëllues. Ishte një qytet mahnitës, me rrugë të drejta, me shtëpi të veshura me mermer të gjelbërt e të stolisura me diamantë xixëllues. Magjistari i Ozit, u tha se që të plotësonte dëshirat e tyre, ata duhej të zhduknin Shtrigën e Perëndimit. Dorotia dhe miqtë e saj, shkuan në shtëpinë e Shtrigës së Perëndimit. Kur shtrigën e zuri gjumi e flakën në një kazan që vlonte. Shtriga lëshoi ca britma të tmerrshme dhe u zhduk përgjithnjë. Ata u kthyen në shtëpinë e Magjistarit të Ozit dhe qëndruan përballë fronit të tij.

Magjistari i Ozit mund t´i falte çdokujt atë që i mungonte, por nuk e ndihmonte dot Dorotinë të kthehej në Kansas. Kur Dorotia gjendej në udhëkryq e nuk dinte nga të shkonte, para saj u shfaq Glenda, Zanëmira e Jugut.

- Trokit tri herë me takat e këpucëve magjike dhe këpucët do të çojnë atje ku ti dëshiron, - tha Glenda.

Dorotia u dha një puthje lamtumire miqve të saj dhe përplasi tri herë takat e këpucëve magjike.

Dorotia u kërkoi këpucëve ta çonin në shtëpinë e Teta Emit dhe Xhaxha Henrit. Një vorbull ere e ngriti atë dhe Toton në ajër dhe sa hap e mbyll sytë, u gjendën në Kansas.

- Jam shumë e gëzuar që u ktheva në shtëpi, - tha Dorotia ndërsa përqafonte Teta Emin dhe Xhaxha Henrin. Teta Emi dhe Xhaxha Henri nuk po u besonin syve që e kishin përsëri mes tyre vogëlushen që e donin aq shumë.

Xheku dhe bizelja magjike

Jetonte dikur një grua e varfër me djalin e saj të vetëm, Xhekun. Djali rritej e jeta e tyre rrokullisej keq e më keq. Kishin shitur gjithçka dhe u kishte mbetur lopa e vetme që u mbante gjallë shpirtin. Një ditë, mamaja e sëmurë u detyrua t'i thoshte të birit të shkonte në qytet e të shiste lopën e vetme.

Xheku takoi rrugës një plak që e pyeti se për ku nxitonte.

- Po shkoj të shes lopën, - i tha Xheku.

- Unë kam ca fara magjike që mund ta largojnë mjerimin, - ha plaku. - Po të duash i këmbejmë farat me lopën.

Xheku nuk mund ta humbiste rastin që do t'i ndryshonte jetën. Ai mori farat magjike dhe me një frymë arriti në kasollen e tij. Mamaja u çudit nga kthimi i shpejtë i të birit. Xheku i tregoi mamasë për plakun dhe për farat magjike. Kur ajo mësoi se i biri i kishte dhënë lopën për pesë fara, i iku mendja dhe i flaku farat në kopsht e bindur se plaku ia kishte hedhur Xhekut.

- Ç'na bëre more Xhek? Me çfarë do të jetojmë këtej e tutje?

Xheku, me lotët që i vareshin në faqe, u shtri në shtrat pa vënë gjë në gojë. Kur u zgjua në mëngjes nuk po u besonte syve. Pas dritares kacavirrej një bimë gjigante që zgjatej e dukej sikur po arrinte qiejt. Xheku doli nga dritarja dhe u ngjit në bimën gjigante. Pas një farë kohe, arriti në gjethen e fundit. Mes reve u shfaq një kështjellë e madhe. Xheku kërceu nga gjethja dhe ra në oborrin e kështjellës. Një grua i tha të largohej se ajo ishte kështjella e gjigantit. Xheku i tha se kërkonte diçka për të ngrënë dhe i duhej të pushonte vetëm pak sa për t'u çlodhur. Gruas i erdhi keq për djalin dhe i tha të futej brenda. Në atë çast, në kështjellë u kthye gjiganti. Xheku me mundim arriti të fshihej. Gjiganti u vërtit me dyshim në kështjellë dhe pastaj mori një trastë e filloi të numëronte monedhat e arta. Duke numëruar e zuri gjumi.

Xheku rrëmbeu trastën me monedha të arta dhe zbriti në shkallaren e gjetheve gjigante. Mamaja nuk po u besonte syve kur Xheku lëshoi para saj trastën me monedha të arta. Disa ditë më vonë, Xheku u ngjit përsëri në kështjellën e gjigantit. Ai pa nga dritarja një pulë që lëshonte vezë të arta dhe gjigantin që mbushte kanistrën. Kur gjigantin e zuri gjumi, Xheku rrëmbeu pulën dhe u largua.

Mamaja po fluturonte nga gëzimi. Jeta e tyre kishte ndryshuar papritur dhe mjerimi i ngjante një ëndrre të keqe. Edhe një herë tjetër, Xheku u ngjit në kështjellën e gjigantit dhe desh të rrëmbente një harpë magjike që lëshonte tinguj e thurte vetvetiu melodi. Por gjiganti e ndjeu dhe e ndoqi pas. Xheku u bë erë, fluturoi në gjethet magjike dhe marramendshëm zbriti në shtëpinë e tij.

Gjiganti nuk u ngrit më. Mamaja e Xhekut mori frymë e lehtësuar.

- Ne kurrë nuk do të jemi më të varfër, - tha ajo dhe e përqafoi me dashuri të birin. Varfëria nuk trokiti më kurrë në derën e tyre.

Gabimet e Veshkaushit

Rezet e diellit hynë edhe nëpër fletët e degët e pyllit dhe i vranë sytë lepurush Veshkaushit, që po flinte akoma. U zgjua, fërkoi sytë dhe pa rreth e rrotull. Vëllezërit e motrat, tok me nënën e babin, kishin ikur me kohë. Kushedi nga hanin gjethe sallate...

Sa kujtoi sallatën, i lëshoi lëng goja. Eh, sikur të kishte edhe një gjethe të vetme sa të mprihte dhëmbët... Po kopshtijet ishin larg dhe ai përtonte të shkonte gjer atje. U nis ngadalë-ngadalë dhe arriti te pishat e larta. Sipër, mbi një degë, ketrush Bishtfshesa po hante stika. Veshkaushi, sa e pa, u gëlltit...

- Bishtfshesë, a vjen të luajmë bashkë?

Ketrushi e la boçen e pishës mënjanë dhe i tha:

- Së pari, më thuaj mirëmëngjesi. Së dyti, unë nuk luaj me ata që kanë frikë nga uji.

Veshkaushi u mendua për një çast:

"Pse më tha kështu Bishtfshesa? Unë notar nuk jam, po edhe nga uji nuk kam frikë."

Tutje dikush po lëkundej mbi një kolovajzë. Veshkaushi u afrua. Ishte një iriq. E kishte kaluar litarin prej kulumbrie mbi një degë bredhi dhe si ndënjëse kishte vënë një jastëk të mbushur me fletë lofate. Eh, sa qejf që kishte Beshkaushi të lëkundej në të...

- A të vij të luaj edhe unë me ty, o Gjëmbaç? – thiri Veshkaushi.

Iriqi vazhdoi të lëkundej në shilarës dhe tha:

- Së pari, më thuaj mirëmëngjesi. Së dyti, emrin e kam Gjembashumi e jo Gjëmbaç. Të pëlqen ty të thërrasin Kaush? Dhe së treti unë nuk luaj me ata që kanë frikë nga uji.

Veshkaushi kroi kokën dhe mendoi:

"Unë marinar nuk jam, po edhe nga uji nuk kam frikë. Atëherë pse m'i thonë këto fjalë?"

Duke ecur e duke menduar, arriti në breg të lumit. Aty po lahej rosak Topolaku. Kokën e fuste në ujë e bishtin e ngrinte lart. Pastaj përplaste krahët duke ngritur qindra stërkala, që shkëlqenin në rrezen e diellit si guaskat që mbante në qafë mësuese Mjellma.

- A të vij edhe unë të eglendisemi bashkë, o Tolopak? – tha lepurushi.

Rosaku shkundi edhe një herë krahët dhe iu përgjigj:

- Së pari më thuaj mirëmëngjesi. Së dyti, mos përdor fjalë të huaja, po fol me gjuhën e nënës. Ne nuk themi "të englendisemi", po "të luajmë". Së treti, mëso të flasësh, se mua nuk më quajnë Tolopak, po Topolak. A të vjen mirë ty të të thërrasin Kaveshush? Së katërti, unë nuk luaj me ata që kanë frikë nga uji.

Veshkaushi u bë gati të hidhej në lumë nga inati. Edhe Topolaku i tha të njëjtat fjalë si ketrushi e iriqi.

- Unë nuk kam frikë nga uji! Do që të kridhem qysh tani në lumë?

Topolaku nuk iu përgjigj fare, po u krodh në ujë duke ngritur bishtin përpjetë.

Veshkaushi iku i menduar. Pse i thoshin të gjithë. "Ke frikë nga uji?" Vrau mendjen, po nuk e gjeti...

Mësuese Mjellma i dëgjoi i dëgjoi bisedat e lepurushit me Bishtfshesën, Gjëmbashumin e Topolakun dhe i tha Veshkaushit:

- Pse nuk u thua mirëmëngjesi shokëve, Veshkaush? Pastaj ti akoma nuk ke larë sytë, si mund të luajnë ata me një shok që është i papastër?

E pa veten në ujë, si në pasqyrë. Sytë i kishte të buhavitur, faqet me njolla djerse dhe cepat e buzëve me shkumë të bardhë. Edhe gëzofin e kishte të zhubravitur. Sa të drejtë kishin shokët që nuk pranuan të luajnë me të! Gjersa nuk ishte larë, domethënë se kishte frikë nga uji...

Veshkaushi nuk priti më gjatë, po vrapoi te burimi. Lau sytë, faqet e veshët mirë e mirë, freskoi llërat e qafen, pastroi edhe dhëmbët me një furçë, që e kishin bërë nga halat e pishave, shkundi e shtriu edhe gëzofin, që i ishte rrudhur natën, dhe u nis të takonte Bishtfshesën. E gjeti tok me Gjembashumin dhe Topolakun duke mbledhur lule.

- Mirëmëngjesi, shokë të dashur! – thiri Veshkaushi.

- Mirëmëngjesi e mirë se erdhe! – iu përgjigjën të tre shokët.

- A mund të luaj edhe unë me ju?

- Me gjithë qejf, - i thanë ata dhe nisën të luanin së bashku.

Aventurat e lepurushit Miri

Miri ishte një lepurush shume i vetmuar. Atij i pëlqente të vraponte fushave, kodrave apo luginave, por mami dhe babi e porosisnin njëmijë herë të mos largohej nga shtëpia. Ata kishin pak kohë që kishin ardhur në shtëpinë e re dhe nuk i njihnin komshijtë e afërt apo kafshët e tjera të pyllit. Miri e bënte shtëpinë rrëmujë, megjithatë mami vetëm vrenjtej kur kthehej e lodhur nga rrugët e gjata dhe nuk këmbente fjalë. Vetmia e të birit e shqetësonte. Pasi shlodhej pak mamaja i niste edhe një herë punët nga e para dhe ndonëse kjo gjë e lëndonte Mirin për një farë kohe, të nesërmen harronte dhe e bënte shtëpinë rrëmujë akoma më shumë.

Ndonjëherë Miri dilte për pak çaste në oborr por shpejt futej brenda sepse kishte dëgjuar mamin dhe babin që përsërisnin shpesh me njëri tjetrin se kishin ardhur kohë të vështira për lepujt e lepurushët. Ngaqë nuk kishte se çfarë të bënte, Miri hapte thesin e lodrave dhe i zbrazte të gjithë në dysheme. Ai kishte shumë lodra por mbi të gjitha i pëlqente të luante me vagonat dhe lokomotivën që i vendoste njërin pas tjetrit dhe ata ngjanin sikur të ishin një tren i vërtetë. Në njërin nga vagonat, zakonisht në atë të fundit, Miri vendoste një arush lodër dhe e akuzonte gjithmonë për dembelinë e tij. Kështu shkuan shumë ditë gjersa më në fund Miri vendosi të dilte nga shtëpia e të njihte komshijtë e tij.

LEPURUSHI MIRI TAKON DERRKUCIN MBURRAVEC

Ditën e nesërme prindërit e lepurushit Miri dolën shumë shpejt nga shtëpia. Kur hapat e prindërve nuk u dëgjuan më, ai u ngrit nga shtrati dhe shkoi tek dritarja. Jashtë kishte zbardhur dhe një derrkuc po bënte gjimnastikën e mëngjesit. Derrkuci ishte kaq i shëndoshë sa që Mirit i dukej sikur pantallonat e lidhura me rripa e që i vareshin poshtë barkut të madh do t'i griseshin e do t'i zbulonin tulet e dhjamosura. Derrkuci filloi t'i jepte rëndësi vetes sikur të ishte nga ata sportistë që merren me sportin sumo e që mund të nxirrte jashtë tapetit edhe Jokozumën e famshëm. Lepurushi megjithse nuk donte ta lëshonte veten para tjetrit u ndje keq dhe për të patur mundësi të largohej nga ndonjë e papritur që mund të ndodhte me derrkucin mburravec, (sepse nuk ishte e vështirë të kuptohej se ai ishte një derrkuc mburravec), qëndroi para një guri të madh. Derrkuci mburravec, mbaroi gjimnastikën, u ul tek guri ku qëndronte lepurushi e zuri të mburrej sikur të ishte më trimi i të gjithë kafshëve të pyllit. Lepurushi Miri nuk foli sepse derrkuci po e trajtonte vërtet si një frikacak që nuk ka kurrfarë vlere, por me vete po përpiqej të thurrte ndonjë kurth për ta vënë në provë trimërinë e derrkucit mburrac.

LEPURUSHI E BËN DERRKUCIN MBURRAVEC TË LAGET NË PANTOLLONA

Edhe ditët e tjera derrkuci mburrave nuk pushonte së llomotituri. Miri e kishte kuptuar se derrkuci ishte i trashë jo vetëm nga trupi por edhe nga mendja. Një ditë kërkoi në thesin e lodrave dhe gjeti një fishekzjarr nga ato që i kishin blerë prindërit për vitin e ri. Derrkuci mburravec në atë çast kishte hipur mbi parmakët e oborrit sikur të ishte ndonjë garip përpara të cilit përkulen të gjitha kafshët e pyllit. Lepurushi u afrua me hapa të ngadalta prapa shpinës së derrkucit mburravec dhe ndezi fishekzjarrin. Sa u tremb derrkuci mburravec. U rrëzua nga gardhi dhe i dukej sikur po shikonte një anije kozmike që po lëshonte pas flakën e madhe.

Më vonë ai do të betohej se anija kishte kaluar aq pranë tij sa që e verboi dhe më pas u ngrit drejt qiejve. Lepurushi nuk mbante dot gazin që e kishte pushtuar. Edhe pse po kalonte një kohë e gjatë nga ndezja e fishekzjarrit lodër, derrkuci mburravec nuk po ngrihej më në këmbë. Lepurushi i zgjati dorën për ta ndihmuar. Vetëm atëherë e kuptoi pse nuk po lëviste nga vendi derrkuci mburravec. Në pantallonat e tij kishte një njollë të madhe. Pik pik pikonin pantallonat e tij. U ngrit i turpëruar dhe pa e kthyer kokën as andej dhe as këtej vrapoi drejt shtëpisë së tij. Ndërsa ai largohej, prapa tij mbetej një rrëkezë që i ngjante firmës së derrkucit mburravec.

GOMARI MURRO VJEN TË TAKOJË LEPURUSHIN MIRI

Ngjarja që kishte ndodhur mes lepurushit Miri dhe derrkucit mburravec kishte bërë përshtypje të madhe në të gjithë komunitetin e kafshëve të pyllit. Deri atëherë, çuditërisht të gjithë kishin heshtur përpara derrkucit mburravec edhe pse nuk besonin në rrëfimet e tij mburracake. Lepurushi Miri nuk ndihej më aq i vetmuar sepse komshinjtë e kishin mësuar zgjuarsinë e komshiut të vogël që ia kishte punuar derrkucit mburravec dhe vinin ta takonin e të luanin së bashku. Derrkuci mburravec ishte zhdukur dhe nuk dukej gjëkundi sikur ta kishte përpirë dheu.

Një ditë Mirin erdhi ta takonte një vizitor shumë i çuditshëm. Ky ishte gomari Murro. Murroja ishte tepër plak dhe zotërit e tij të dikurshëm e kishin braktisur. Ai endej sa andej këtej, nëpër pyje apo rrugë të tjera duke u përpjekur të kalonte ditët e fundit të pleqërisë së tij, por ja që derrkuci mburravec i dilte përpara gomarit Murro dhe herë i hipte mbi kurriz e herë të tjera e godiste ose e përqeshte. Gomari kishte ardhur ta falënderonte lepurushin dhe ky për ta gostitur i afroi një karotë dhe dëshirën e tij për miqësi. Që nga ajo ditë gomari plak qëndronte gjatë në sheshin e lodrave duke parë vogëlushët sesi luanin me njëri tjetrin. Natyrisht më shumë nga të gjithë ai kënaqej me lepurushin Miri që ishte aq i shkathët saqë një gomar nuk do ta kishte çuar kurrë ndër mend jo vetëm në pleqërinë e vonë por as atëherë kur ishte i ri apo kërriç i vogël.

ARUSHI BEN I SHFAQ MIQËSINË E TIJ LEPURUSHIT MIRI

Edhe Benit, arushit të njohur të pyllit i kishte bërë shumë përshtypje historia e lepurushit me derrkucin mburravec prandaj erdhi një ditë ta takonte. Arushi kishte marrë me vete edhe biçikletën dhe bashkë me lepurushin dolën në pyll për të bërë xhiro me biçikleta. Pas tyre nxitonte edhe një biçikletë e vogël me tre rrota që e ngiste miushi i pyllit. Miushi kishte qenë dëshmitar kur derrkuci mburravec kishte lagur pantallonat. Ndërsa nxitonte pas tyre me biçikletën me tre rrota Miushi i pyllit përpiqej të tregonte me zë të lartë të gjitha detajet e asaj dite kur derrkuci kishte humbur krenarinë e tij, që nga qëndrimi mbi gardh e gjer tek pantallonat që pikonin pik, pik.

Ata të tre shëtitën gjatë nëpër pyll. Ndonjëherë miushi mbetej prapa por arushi dhe lepurushi zbrisnin nga biçikletat e tyre dhe e prisnin. Sapo i arrinte miushi, vazhdonte rrëfimin e hollësishëm të asaj ngjarjeje që nuk i shkulej nga mendja. Ai po e mburrte aq shumë lepurushin për zgjuarsinë e tij, sa që ky i fundit po e ndjente veten keq, dhe iu lut të mos e mburrte më se ndoshta kështu do të shndërrohej edhe ai në një mburracak si derrkuci Buçko. Ata u ndanë nga njëri tjetri në mbrëmje dhe lepurushi Miri nuk e ndjeu më veten aq të vetmuar.

LEPURUSHI MIRI PRET LEPURUSHEN MIRA

Një ditë mami u kthye si zakonisht në shtëpi dhe i solli Mirit një lajm të gëzueshëm. Pranë tyre do të vinin komshinjtë e vjetër të qytetit të lepurushëve. Miri tani do të kishte një mikeshë të vogël. Kjo ishte lepurushja Mira. Dikur në qytetin e lepurushëve ata qëndronin shumë gjatë me njëri tjetrin. Aq gjatë dhe aq shumë luanin me njëri-tjetrin, saqë ata që nuk i njihnin mendonin ndonjëherë se ishin binjakë. Edhe pse kishte filluar të miqësohej dhe të luante me vogëlushët e tjerë të pyllit si arushin, ketrushin, etj etj, Miri mendonte se askush nuk mund ta kuptonte më mirë se lepurushja Mira. Miri e dinte se Mira ishte një çamarroke që nuk e kishte shoqen dhe shquhej për shkathtësinë e veçantë mes gjithë lepurushëve. Ndonjëherë ajo e kishte ngacmuar edhe Mirin, por ai nuk ishte zemëruar kurrë nga çapkënllëqet e saj. Atë natë pothuajse nuk e zuri gjumi.

Të nesërmen në mëngjes nuk shkoi si zakonisht në sheshin e lojërave ku e prisnin moshatarët e tjerë të pyllit, por doli në bregun për të soditur ardhjen e mikeshës së saj të hershme, lepurushes Mira. Miri nuk e njohu për një çast lepurushen Mira. Ajo ju duk si princeshat e përrallave me të bukurat e dheut. Nga larg ajo kishte ngritur dorën dhe po e përshëndeste. Mirit ju duk sikur ajo ishte rritur papritur. Ishte shume e gëzuar që në bregun e lumit po e priste miku i saj më i mirë, lepurushi Miri. Dhe Miri natyrisht nuk e fshihte dot gëzimin e ardhjes së një mikeshe kaq të bukur.

        - Sa më kishte marrë malli, - i tha Mira dhe ju hodh në qafë për ta përqafuar.

        - Edhe mua, - tha Miri dhe e përqafoi me shumë dashuri.

LEPURUSHI MIRI NDIHMON LEPURUSHEN MIRA

        Të dy lepurushët nxituan në shtëpinë e re të Mirës. Mira dëshironte që prindërit e saj ta gjenin të rregulluar shtëpinë kur të vinin. Lepurushi Miri i dha fjalën se do ta rregullonin së bashku se dhe ai kishte mësuar të bënte punë në shtëpi. Shtëpia e lepurushes Mira ishte në brendësinë e trungut të një druri të madh dhe ngaqë në të prej kohësh nuk kishte banuar kush ishte e mbuluar nga pluhuri dhe mbeturinat. Të dy lepurushët iu vunë punës dhe shpejt shtëpia ndëroi fytyrë. Dyshemeja e saj e nxirë gjer pak më parë tani xixëllonte nga pastërtia. Një çast Miri i la punët dhe doli nga shtëpia e lepurushes. Ai u kthye pas pak me nje vazo të madhe ku kishte një lule shumë të bukur. Lepurushja Mira u habit.

        - Po këtë çfarë e ke - e pyeti lepurushin.

        - Dhuratë për shtëpinë e re, - tha Miri.

        Mira u kënaq së tepërmi nga dhurata e bukur dhe e vendosi vazon e madhe pranë dritares. Më pas u ulën të dy pranë njëri tjetrit dhe po vështronin nga dritarja. Prisnin të shfaqej trapi lundrues që do të sillte prindërit e lepurushes. Duke pritur Miri i rrëfente për qytezën e kafshëve të pyllit.

LEPURUSHI MIRI KRIJON NJË KOLOVAJSE PËR LEPURUSHEN MIRA

Lepurushi Miri dëshironte ta argëtonte sa më shumë lepurushen Mira, prandaj po vriste mendjen se çfarë mund të bënte për të. Befas u kujtua se kishte lexuar në një libër se vajzat e bukura, pra lepurushet e bukura përktheu Miri, mrekulloheshin kur koloviteshin me lisharëse. Në sheshin e lojrave kishte një pemë me krahë të mëdhenj dhe Miri lidhi në të dy litarë të vegjël që mbanin një ndenjëse në mes. Lepurushja u gëzua kur e pa kolovajsen dhe përnjëherësh i kërkoi Mirit ta koloviste. Miri e shtynte lisharsen me sa fuqi që kishte dhe lepurushes i dukej sikur kishte krahë e po ngjitej në qiej. Ndërsa lisharsja kolovitej nga njëra anë në tjetrën e shoqëruar nga britmat e gëzueshme të lepurushes, lepurushi Miri mendonte se lepurushet e bukura ishin njëlloj si vajzat e bukura që u pëlqente të mrekulloheshin kur koloviteshin në kolovajza.

ARUSHI BEN VJEN ME AEROPLAN PËR TË PËRSHËNDETUR LEPURUSHEN MIRA

Në të gjithë qytezën e kafshëve të pyllit kishte kaluar gojë më gojë lajmi i ardhjes së një lepurusheje shumë të bukur, më e bukura e të gjitha lepurusheve që ekzistonin apo kishin ekzistuar ndonjëherë në pyje. Ky lajm kishte arritur gjer në qiej ku arushi Ben fluturonte me aeroplanin e tij me dy krahë të mëdhenj. Ai kishte dëgjuar se të gjithë kafshët e pyllit ishin mahnitur nga bukuria e lepurushes Mira dhe përpiqeshin të dukeshin sa më interesantë përpara saj. Edhe arushi Ben mendoi të dukej i tillë prandaj, ai do të zbriste me aeroplan për t`i uruar mirëseardhjen.

Lepurushët sapo e ndjenë zhurmën e aeroplanit dolën të gëzuar në sheshin e lojrave. Bashkë me ta në shesh u grumbulluan edhe kafshë të tjera që arushi Ben i çudiste gjithnjë me të papriturat e tij. Të gjithë u befasuan nga kjo ardhje me aeroplan e arushit Ben dhe e pranuan se ai ishte vërtet një arush i veçantë. Edhe lepurushja Mira u habit me këtë vizitor të çuditshëm dhe sidomos me aeroplanin e tij. Ajo, megjithëse ishte lepurushe e bukur, aeroplanët i kishte parë gjithnjë nga larg, vetëm në qiell por kurrë kaq afër. Akoma më shumë ajo po çuditej nga fakti që një avion kishte zbritur nga qiejt posaçërisht për të. E vërteta është se më shumë se sa vetë arushi asaj i bëri përshtypje aeroplani dhe për të shuar kureshtjen u ngjit në kabinën e tij.

LEPURUSHJA MIRA FLUTURON ME AEROPLANIN E ARUSHIT BEN

Kur lepurushja Mira hipi në kabinën e aeroplanit, arushi Ben u përpoq t`i tregonte se si nisej një avion. Mira i ndiqte me shumë vëmendje shpjegimet e arushit dhe kur Beni i frymëzuar mbaroi shpjegimet e tij, iu lut që ta lejonte ta ngiste ajo vetë aeroplanin. Arushi Ben hezitoi një çast, por pastaj tundi kokën në shenjë pohimi. Lepurushes Mira nga frika se mos ndoshta arushit i kthehej mendja, e nisi përnjëherësh aeroplanin, saqë të gjithë ata që ishin rreth e rrotull menduan se ai do të rrëzohej e do të mbetej nëpër pemë.

Aeroplani u luhat një farë kohe, por nuk u rrëzua. Dalëngadalë Mira po e zotëronte drejtimin e tij. Frika dhe tronditja që e kishin pushtuar në çastin e ngritjes nga toka tani i ishte larguar dhe ajo po mahnitej me mrekullinë e qiellit dhe të tokës bashkë. Ishte vërtet një lepurushe me fat dhe me siguri lepurushja e parë që ngjitej në qiej dhe e vështronte gjithçka nga lart. Poshtë kabinës së avionit bota dhe qeniet e saj ishin zvogëluar papritmas dhe asaj papritur jeta kishte marrë një vlerë tjetër.

LEPURUSHIT MIRI I VJEDHIN SINJALIN

Lepurushi Miri kishte një sinjal kitare që e thërriste lepurushen Mira. Sapo e dëgjonte sinjalin e kitarës lepurushja shfaqej në dritare, dilte në oborr, apo kalonte portën për të takuar Mirin. Ajo doli në dritare por nuk e pa lepurushin Miri në vendin ku ai qëndronte zakonisht me kitarën e tij. Nuk po e kuptonte se nga vinin këto sinjale që vetëm ajo dhe Miri i njihnin. Ajo nuk e çonte ndërmend se sinjali i tyre ishte bërë i njohur dhe të gjithë kafshët e pyllit e kishin mësuar përmendësh.

Një ditë sinjali u përsërit disa herë dhe lepurushja doli në dritare për të shikuar lepurushin Miri por ai nuk dukej atje ku rrinte vazhdimisht kur e thërriste me kitarë. Sinjali u dëgjua përsëri dhe poshtë dritares së saj lepurushja pa një maçok që po e thërriste me tingujt e njohur të sinjalit të tyre. Asaj i erdhi kaq inat me këtë maçok mistrec saqë i mbylli kanatat e dritares me forcë. Pak më vonë lepurushja e dëgjoi përsëri sinjalin por nuk e hapi dritaren si zakonisht. Pas disa kohësh ajo e dëgjoi përsëri sinjalin e tyre dhe përnjëherësh mori nga zjarri një tenxhere me ujë që vlonte dhe e hodhi nga dritarja. Poshtë dritares nuk ishte maçoku, por lepurushi Miri që kishte kohë që i binte kitarës. I shkreti lepurush si u bë, por dhe lepurushja nuk e deshi më veten.

LEPURUSHJA MIRA I PROPOZON LEPURUSHIT MIRI TË SHËTISIN NË PYLLIN E PANJOHUR

Lepurushja Mira ishte tepër kurioze dhe kërkonte ta njihte sa më shpejt qytezën e re ku sapo kishin ardhur. Nga avioni i lepurushit Ben, qyteza e pyllit e kishte magjepsur. Një ditë ndërsa po mblidhnin bashkë me ketrushët fruta për ëmbëlsira, ajo i propozoi lepurushit Miri të bënin një shëtitje për të njohur pyllin dhe mjedisin rreth e qark qytezës së tyre. Lepurushit Miri natyrisht i pëlqente të bridhte me lepurushen e bukur Mira sepse e dinte se kushdo nga kafshët e tjera do ta shoqëronte me kënaqësi. Ndonjëherë Mirit i dukej se lepurushja Mira kishte çaste kur hutohej para kafshëve të tjera që përpiqeshin të dukeshin sa më interesantë përpara saj dhe pothuajse e harronte lepurushin Miri. Atë ditë kur kishte ardhur arushi Ben ta takonte dhe e kishte fluturuar në qiell, lepurushi Miri e kishte ndjerë veten keq dhe si të mënjanur por nuk ishte zemëruar. Nuk kishte dashur të prishte gëzimin e lepurushes Mira. Kur lepurushja Mira i propozoi të shëtisnin në pyll, sigurisht që e pranoi përnjëherësh ftesën për ta shoqëruar nëpër mjediset e panjohura. Në të vërtetë edhe vetë Miri kurrë nuk e kishte kaluar qytezën e pyllit. Shëtitja më e largët e tij kishte qenë deri në bregun e lumit atë ditë kur kishte pritur të vinte lepurushja Mira. Natyrisht që Miri nuk i tregoi Mirës se nuk i njihte udhët e pyllit se kishte frikë se mos ajo e trajtonte si ndonjë frikacak dhe nuk pranonte të shëtiste me të.

AVENTURAT E LEPURUSHIT MIRI DHE TË LEPURUSHES MIRA NË PYLLIN E PANJOHUR

Lepurushët kishin shkuar nga njëra rrugë në tjetrën e kishin arritur atje ku pylli dendësohej dhe trungjet e drurëve ishin shumë të vjetër. Që të dy kishin veshur rrobat më të bukura, si për tu mburrur në heshtje para njëri tjetrit. Gjatë gjithë rrugës Miri i kishte treguar historinë e tij me derrkucin mburravec dhe kur kishte arritur tek pantallonat e lagura te derrkucit, lepurushja Mira ishte shkulur së qeshuri. Edhe Miri e kishte shoqëruar me të qeshura të mëdha.

Befas, ndërsa ata ishin duke përjetuar historinë me derrkucin mburravec ishte dëgjuar një e qeshur tjetër shumë më e fuqishme dhe tepër e frikshme. Ata kishin shtangur. E qeshura vinte prapa trungut të madh dhe pas pak ata panë një figurë të tmerrshme përballë tyre. Padyshim ishte shtriga ose kuçedra e përrallave që donte t'i kullufiste.

- Ha, ha, ha, kush paska ardhur në mbretërinë time – tha ajo që dukej si shtriga.

Të dy lepurushët ishin tmerruar dhe ishin bërë sa një grusht. Për një çast shtriga ktheu kokën prapa dhe të dy lepurushët ia dhanë vrapit. U dukej sikur në të gjithë drurët apo shkurret që kishin përpara do t'u shfaqej shtriga e tmerrshme. Kur e qeshura nuk u dëgjua më, kthyen kokën prapa. Nuk po i ndiqte kush. Vështruan njëri tjetrin dhe çuditërisht panë se nuk i kishin më rrobat e bukura. Ndërsa vraponin të tmerruar nga sytë këmbët rrobat u kishin mbetur nëpër shkurre. Kur u qetësuan lepurushi Miri nuk e vazhdoi rrëfimin e mbetur në mes për pantallonat e lagura të derrkucit mburravec.

DY LEPURUSHËT DHE DHELPRA

Lepurushët nuk po e besonin atë që u kishte ndodhur. Ata e dinin se shtrigat dhe kuçedrat gjenden vetëm në përralla dhe jo në jetën e zakonshme të kafshëve të pyllit. Por, pikërisht atëherë kur ata kishin dalë nga pylli i vjetër me trungje të mëdhenj dhe nuk kishin më në trup asnjë shenjë të rrobave të bukura, ajo e qeshura e tmerrshme u dëgjua përsëri. Ata nuk e kuptuan përnjëherësh nga vinte e qeshura. Përqark nuk dukej kush veç tyre. Ngritën kokën dhe lart në degët e një druri të lartë panë të shtrirë dhelprën që po qeshte me të madhe.

-Ha, ha, ha, çfarë trimoshash, - thoshte dhelpra, - hë lepurushë kur do të shkelni përsëri në mbretërinë time?

Të dy lepurushët nuk u përgjigjën por ja dhanë vrapit.

- Ej, ej, keni harruar rrobat, - thoshte dhelpra duke qeshur, por ata nuk e kthenin kokën prapa.

LEPURUSHI MIRI SHPËTON LEPURUSHEN MIRA

E qeshura e dhelprës nuk po u ndahej dy lepurushëve edhe pse kishin një kohë të gjatë që po vraponin. Ata kthyen kokën dhe panë atje tej dhelprën që po i ndiqte. Dhelpra po i afrohej gjithnjë edhe më afër. Lepurushja Mira nuk vraponte dot me të njëjtin ritëm me lepurushin Miri dhe po mbetej prapa. Lepurushi Miri nuk dinte si të bënte. Në krahë apo në supe nuk e merrte dot lepurushen Mira se atëherë dhelpra do t'i arrinte patjetër, por dhe lepurushen Mira nuk mund ta braktiste. Fatmirësisht aty diku pa një karrocë dore dhe e hipi Mirën në të. Rruga ishte e tatëpjetë dhe Miri e tërhiqte karrocën me një shpejtësi marramendëse. Dhelpra nuk mund t'i arrinte më dhe lepurushja Mira mendoi se vërtet lepurushi Miri ishte i zoti dhe po të mos ishte ai, dhelpra do ti kishte marrë jetën. Edhe pse dhelpra nuk dukej më lepurushi Miri nuk ndalonte. Natyrisht edhe ai, dhe lepurushja Mira nuk mund ta fshinin dot se ishin tmerruar nga dhelpra.

LEPURUSHËT KËRKOJNË TË LARGOHEN NGA QYTEZA E KAFSHËVE TË PYLLIT

Kur u kthyen në qytezën e kafshëve të pyllit, të dy lepurushët ishin akoma të tmerruar. Asnjëri nga ata nuk i kishte prindërit në shtëpi. Ashtu siç ishin të tmerruar rrëmbyen nga një karrocë dore me disa plaçka që ata i quajtën si më të domosdoshmet dhe dolën nga shtëpia për të kërkuar prindërit e tyre e për t'u larguar përgjithnjë nga qyteza e pyllit. Lajmi se lepurushët kishin vendosur të largoheshin u përhap përnjëherësh dhe që të gjithë kafshët e tjera ndjenin keqardhje. Të gjithë i donin lepurushët e nuk mund të pajtoheshin me largimin e tyre. Qytezës së pyllit i kishte rënë një hije e zezë.

DERRKUCI KËRKON DHELPRËN

Ngjarja e dhelprës me lepurushët u përhap me shpejtësi në qytezën e kafshëve. Atë e kishte mësuar edhe derrkuci mburravec. Në të vërtetë që nga koha kur kishte lagur pantallonat nuk mund të thuash se ai vazhdonte të ishte një mburravec. Lepurushët prisnin që derrkuci të gëzohej nga ngjarja e frikshme që u kishte ndodhur atyre, por çuditërisht ai e kishte dëgjuar ngjarjen me shumë vëmendje dhe ishte vrenjtur. Derrkuci ishte menduar gjatë dhe pastaj ishte larguar nga sheshi i lojërave pa thënë se ku do të shkonte. Kishte vendosur të kërkonte dhelprën dhe të hakmerrej për lepurushët. E kishte vendosur ta kapte dhelprën prej veshësh dhe t`i bënte gjyqin tek sheshi i lojërave përpara gjithë kafshëve të pyllit.

Dhelpra me ta mësuar se lepurushi po e kërkonte, ishte fshehur pa lënë gjurmë. Derrkuci kishte kërkuar deri natën vonë por më kot se dhelprën nuk e kishte ndeshur gjëkundi. Ai ishte kthyer në shtëpi kur kishte kaluar mesnata i trishtuar që nuk kishte mundur të ndihmonte lepurushët e tmerruar nga dhelpra. Gjithsesi ai shpresonte se një ditë do ta takonte dhelprën patjetër. Atë natë ai kishte parë shumë ëndrra me dhelprën dhe lepurushët.

SHQETËSIMI I BABAIT TË LEPURUSHIT MIRI

Babai i lepurushit Miri u kthye nga puna dhe u befasua kur nuk e gjeti lepurushin në shtëpi. Ai punonte në një bibliotekë të madhe dhe thuhej se po shkruante historinë e lepurushëve që nga antikiteti e gjer në kohërat moderne, pra në ditët e sotme. Ai ishte në gjendje të tregonte të gjitha historitë e emigrimeve të lepurushëve nga koha në kohë dhe ishte krenar për mbijetesën e tyre të lavdishme. Në se do të bisedoje me të do të mbeteshe i mahnitur nga kultura e gjerë që zotëronte. Sapo mësoi se lepurushët ishin larguar, ai u alarmua dhe menjëherë u interesua të dinte drejtimin që ata kishin marrë. Pas e ndoqën edhe kafshët e tjera të pyllit. Ishin shumë të shqetësuar për fatin e dy lepurushëve. Nuk e dinin nëse do t'i gjenin dot, më parë se shtriga, dhelpra apo egërsira të tjera ti rrëmbenin.

BABA HISTORIANI ËSHTË I PAKËNAQUR ME LEPURUSHËT

Baba historiani më në fund u takua me vogëlushët dhe dukej shumë i zemëruar me aventurën e tyre të marrë. Lepurushi Miri që e dinte se babai do të fillonte të tregonte për bëmat e lepurushëve gjatë shekujve u dorëzua përnjëherësh dhe pranoi të ktheheshin në qytezën e pyllit, por babai duhej ta kuptonte se sa shumë ishin tmerruar të dy lepurushët nga dhelpra e keqe. Baba historiani vetëm tundte kokën i menduar. Natyrisht ai e kuptonte se lepurushi kishte të drejtë. Ndërsa ata të dy bisedonin, lepurushja Mira ishte përulur në një pellg të vogël të krijuar në trungun e një druri të prerë kohë më parë dhe po shikonte veten si në pasqyrë.

- Pashë veten në pasqyrë, – i tha ajo Mirit kur po ktheheshin në qytezë.

Miri po e dëgjonte me vëmëndje.

- Unë jam lepurushja më e bukur në botë, – tha Mira.

Miri nuk u përgjigj përsëri sepse kjo lepurushja sikur u tregua pak si budallaçkë.

SI I PRITËN LEPURUSHËT MOSHATARËT E QYTEZËS
SË PYLLIT

Baba historiani dhe dy lepurushët u kthyen vonë në shtëpinë e tyre. Gjatë të gjithë natës nuk i kishte zënë gjumi. Ishin të shqetësuar se si do ta përflisnin kafshët e pyllit aventurën e tyre. Në mëngjes në sheshin e madh u dëgjua një daulle. Daullja binte pa pushim. Pastaj u dëgjuan dhe vegla të tjera muzikore. Dalëngadalë po krijohej një bandë muzikore që kalonte nga shtëpia e lepurushit Miri në atë të lepurushes Mira. Si lepurushi Miri dhe lepurushja Mira e kuptuan se po i thërrisnin. Rrëmbyen edhe ata veglat muzikore dhe rendën drejt shokëve që po i prisnin. Kur ata arritën në shesh nga të katër anët gjëmonte muzika e gëzuar.

Luledelja

Keni dëgjuar për një luledele të vogël? Unë nuk mund ta heq nga mendja historinë e saj të dhimbshme. Ndoshta ju ka rënë në sy një shtëpi karakteristike diku buzë rrugës së madhe në të dalë të qytetit. Oborri i saj është ndarë në parcela të vogla ku rriten lule të bukura me të cilat përgatiten tufa shumëngjyrëshe për mbrëmjet e mëdha e për ngjarjet e rëndësishme. Pak më tutje parcelave me tulipanë, e lule të tjera të mëdha, kishte mbirë dhe një luledele e vogël. Sigurisht askush nuk mund ta vinte re luledelen mes barit të zakonshëm të harruar në një skaj të oborrit. Askush nga banorët e shtëpisë, mysafirët apo kalimtarët e zakonshëm nuk i kushtonte kujdes luledeles.

Për luledelen nuk kishte rëndësi se ndaj saj nuk tregohej kurrfarë vëmendje apo që e shikonin si një lule mjerane që kishte çelur krejt rastësisht jo larg asaj mrekullie shumëngjyrëshe që krijonin lulet e kultivuara të kopshtit. Ndonjëherë luledelja i thoshte vetes se ngjante me një diell të vogël me rreze të shndritshme. Ishte thuajse e vetmuar dhe e kalonte vetminë e saj duke dëgjuar këngën e një bilbili që fluturonte rrotull saj. Ndonjëherë kishte dëshirë të bëhej zog e të fluturonte në hapësirën e pafund. E kuptonte se kjo ishte një ëndërr e parealizueshme. Ndjehej e lumtur që dielli ishte zemërgjërë dhe nuk nguronte ta ngrohte e që era e ledhatonte me dashuri si një njeri të afërt. Atje tutje në parcela, lulet krekoseshin e i shisnin mend njëra tjetrës për bukurinë e tyre. Grindeshin mes tyre trëndafilë, tulipanë, bozhurë dhe lule të tjera. Sigurisht, as që dënjonin të kthenin kokën tek luledelja, për të mos thënë se e shikonin me përçmim dhe përbuzje.

Një ditë të bukur të gjithë zgjatën kokën për të ndjekur fluturimin e bilbilit që sillej rrotull pa vendosur se ku do të qëndronte. Lulet ishin si në garë me njëra tjetrën e përpiqeshin të shpalosnin bukurinë e tyre. Luleshqerrës i dukej se po shikonte një spektakël. Ishte kureshtare të mësonte se kë do të zgjidhte bilbili si të preferuarën e tij.

Bilbili u rrotullua gjatë mbi lulet e mëdha por nuk qëndroi gjëkundi, as tek tulipanët, as tek trëndafilët dhe as tek bozhurët. Luledelja po habitej e nuk po i besonte vetes kur pa se zogu i bukur u ul ngadalë e qëndroi pranë saj. I dukej si një ëndërr. Nuk ishte ëndërr. E dëgjonte, cicërimën, këngën e tij. Jo vetëm kaq por ai po i fliste, po i thoshte se ishte një lule e bukur me zemër të artë. Kurrë nuk kishte dëgjuar fjalë të tilla. Gjithnjë e kishin përbuzur. Bilbili i bukur zgjati sqepin e tij dhe e puthi me ngrohtësi. Luledelja e vogël u lumturua. Bilbili këndoi dhe një këngë tjetër dhe pastaj u ringrit në fluturim. Luledelja nuk po e merrte veten nga emocionet. Kishte jetuar vërtetë një ngjarje të madhe. Ktheu kokën tek lulet në oborr. Sa të inatosura ishin dhe me sa zili e shikonin. Nuk mund ta pranonin dhe nuk e kuptonin se si luledelja që kurrë nuk e kishin përfillur, ishte preferuar nga bilbili. Luledelja u përpoq t'i buzëqeshte miqësisht, por ato kthyen kokën nga ana tjetër me përçmim. Luledelja ndjeu keqardhje nga zilia e tyre.

Pak ditë më vonë lulet e parcelave në oborr i këputën dhe të mbledhura në tufa i dërguan larg. Luledeles, prerja e tyre iu duk si një kasaphanë e tmerrshme. I vinte keq për fatin e tyre. Në mbrëmje gjumi e mori me mundim. Në ëndërr pa diellin dhe bilbilin e mrekullueshëm. Në mëngjes u përmend nga kënga e paharrueshme e tij. E njihte atë këngë por nuk e kuptonte pse tonet e gëzueshme të saj ishin shuar dhe e kishte mbuluar trishtimi. Zgjati kokën. Sa dhimbje ndjeu kur e pa të mbyllur në një kafaz. Kërkonte t'i shkonte në ndihmë por nuk dinte se si. Befas gjithçka në sytë dhe në shpirtin e saj u zymtësua.

Pak më vonë, dy djem erdhën në atë skaj të oborrit ku gjendej ajo. Kërkonin të merrnin një plis të gjelbërt për ta vendosur në kafazin e bilbilit të vogël. Mes plisit të gjelbërt ishte edhe luledelja. Djemtë menduan një çast ta këpusnin dhe ta flaknin tutje. Sa u tremb luledelja. Tanimë që jeta e saj kishte marrë një kuptim, ajo nuk dëshironte të mos ishte më. Ju e merrni me mend se kuptim jeta e saj kishte marrë që nga ai çast kur zogu i bukur e kishte çmuar si mbretëreshë bukurie. Djemtë ndryshuan mendje dhe ajo u gjend në kafazin me tela.

Ardhja e saj sikur e trishtoi edhe më shumë bilbilin. I dukej vetja si në një burg, i mungonte ajri, liria. Nuk kishte fuqi t'i shqyente telat e kafazit. Pas një farë kohe, ai u shtri i lodhur. Kishte etje dhe aty nuk kishte asnjë pikë ujë. I merrej fryma, gulçonte në ethe. Larg diellit dhe hapësirës, ndjente afrimin e diçkaje të tmerrshme; ndjente fundin e tij. Kishin ardhur çastet më të vështira dhe pikërisht atëherë, ndjeu freski rreth vetes. Luledelja ishte zgjatur dhe po e përqafonte. E pa me sy të trishtuar miken e tij më të mirë, miken e tij të vetme. Kërkonte t'i fliste por nuk fliste dot më. E shikonte në sy. Luledelja e ndjente se çfarë i thonin sytë e tij. I thoshte se fati dhe fundi i tyre ishte i përbashkët. Nga e gjithë bota i kishte mbetur vetëm luledelja, ajo që e kishte çmuar dikur si më të bukurën e botës.

Luledelja nuk dinte ç'të bënte. Edhe shpirtin e saj do ta jepte për të. Kërkonte ta mbante të gjallë, të mos shuhej. Por ishte e pamundur. Zogu i vogël e pa me sy të lotuar. U përpoq të këndonte edhe një herë këngën e asaj dite, por nuk kishte më zë. Përkuli kokën mbi lulen e vogël dhe u mbështet tek ajo. Lulja ndjente se si rralloheshin trokitjet e zemrës së tij. U rralluan gjersa nuk u ndjenë më. U përkul dhe lulja e vogël. Dhe jeta e saj nuk kishte më kuptim.

Të nesërmen në mëngjes djemtë e vegjël derdhën lot kur panë se zogu nuk jetonte më. E mbyllën në një kuti të bukur dhe e mbuluan me gjethe trëndafilash dhe lulesh të tjera të parcelave të oborrit. Plisin me luledelen e vogël e hodhën pa kujdes, si një gjë pa vlerë. Askujt nuk i shkoi ndërmend se ajo, luledelja, kishte qenë mirënjohja dhe ngushëllimi i vetëm i zogut që nuk jetonte më.

Vajza dhe zogu

Na ishte një here një vajze qe e quanin Mira. Ajo po kthehesh ne shtëpi nga pikniku me familjen e saj. Rrugës për gjatë parkut ajo pa një zog të lënduar te këmba. Zogu kishte rënë nga foleja e tij dhe kishte vrarë këmbën. Mira e pa menjëherë dhe e mori në shtëpi për t'ia mjekuar këmbën.

Ajo ja mjekoi dhe u kujdes për zogun. Atë natë u dëgjua një zë njeriu por ishte zogu. Zogu ishte një zog magjik. Vajza u tremb kur e dëgjoi që po fliste.

Zogu i tha:

- Ç'kemi Mira unë jam një zog magjik qe kam fuqi te plotësoj tri dëshira.

- Uauuu kjo është madhështore. Epo mire dëshira ime e pare është që të kem në bibliotekë shumë libra.

- Pse libra?

- Kur të ikësh ti të kem një kujtim të bukur që janë librat. Dëshira ime e dytë është që të marrë nota të mira në mësime.

- Dhe pse kështu?

- Sepse t'i bej prindërit e mi krenarë dhe në të ardhmen të bëhem doktoreshë.

- Po dëshira e tretë?

- Të të shërohet këmba ty dhe të gjithë fëmijët të kenë një familje.

- Kjo është një gjë shume e çuditshme!

- Pse kështu?

- Sepse askush nuk kujdeset kaq shumë për mua dhe ti shprehe dëshirën e tretë që unë të shërohem.

- Edhe kafshët kanë nevojë për përkujdesje ashtu si njeriu.

Hansel dhe Gretel

Në një fshat të vogël afër një liqeni jetonte babai me dy fëmijët e tij Hanselin dhe Gretel. Ata ishin shumë të varfër pasi varfëria kishte kapluar e gjithë fshatin. Nëna i kishte vdekur ndërsa babai ishte martuar me një grua tjetër. Babai i tyre s'kishte asgjë, dhe kishte shumë frikë se nga kjo uri fëmijët e tij do vdisnin.

Një natë gruaja e tij i tha që t'i shpinin fëmijët në pyll pasi po t'i shpinin atje ata nuk do dinin të ktheheshin më në shtëpi. Këto fjalë i dëgjoi Gretel dhe nisi te qante. Ajo shkoi me vrap dhe i tregoi çdo gjë të vëllait. Të nesërmen babai u shpjegoi fëmijëve se çfarë do ndodhte dhe nga mërzia u strehua në dhomën e tij dhe nisi të qante pa pushim. Pak para perëndimit të diellit babai dhe gruaja e tij i përgatitën fëmijëve nga një cope bukë dhe u nisën për në pyll. Hanseli i vogël mori ca gurë që shndrisnin në shkëlqimin e hënës dhe i futi në xhepin e tij të vogël. Duke ecur ai lëshonte nga një gurë të vogël.

Pas ca orësh të mira ata arritën në pyll. Babai i tyre ndezi një zjarr të ngrohtë dhe priti deri sa fëmijët t'i zinte gjumi dhe u largua. Në mes të natës Gretelës i doli gjumi nga frika. Ajo u zgjua duke qarë dhe me ulërimën e saj zgjoi

dhe vëllanë Hanselin. Ai e mori motrën e tij e përqafoi dhe i
tha të mos mërzitej pasi do ndiqnin gurët që ai i kishte
lëshuar, pasi ata gurë do i shpinin në shtëpi. Ec e ec dhe ja
ku arritën në shtëpi. Kur i pa babai i tyre që ishin kthyer ai
u gëzua së tepërmi por dhe u çudit se si e kishin gjetur
shtëpinë, kurse njerka e tyre zemërkeqe u trishtua shumë.

Kur nata po afrohej ata u përgatitën sërish për t'u
larguar në pyll. Kësaj radhe ishte Gretela që mori ca
thërrime buke dhe i lëshoi nëpër tokë me shpresën që duke
ndjekur thërrimet do ktheheshin në shtëpi. Pasi shkuan në
pyll babai i tyre ndezi zjarrin dhe priti gjersa ata i zuri gjumi
dhe u largua. Në atë mbrëmje të errët skëterrë Gretelës i doli
gjumi dhe me këtë rast zgjoi dhe vëllanë. Ata u nisen për në
kërkim të thërrimeve por asgjë pasi thërrimet i kishin
ngrënë zogjtë. Gretel u mërzit dhe nisi të qante pa pushim
por i vëllai e përkrahu dhe e ngushëlloi.

Duke ecur pa pushim duke kërkuar për ndonjë
rrugëdalje ata ranë në brendësinë e një grope. Kur u zgjuan
u gjenden para një shtëpie te bukur dhe të vogël prej
çokollate. Uria i kishte marrë, lodhja i kishte kapluar dhe
nisën të hanin ca çokollatë. Dhe si fillim ia nisën me dritaret,
murin etj. Kur iu afruan derës para tyre u shfaq një plakë.
Ajo i ftoi brenda, i uli në tavolinë dhe i shtroi çdo gjë të mirë
që ata dëshironin. Fëmijët u ndien të lumtur dhe me ketë
lumturi i zuri gjumi. E kush na ishte kjo plakë?! Askush
tjetër përveç një shtrige që hante zemrat e fëmijëve. Ajo e
mori Hanselin dhe e futi në një dhomë të errët në mënyrë që
ta mbante të lidhur deri sa t'i vinte koha që ta hante. Gretel
kur u zgjua dhe nuk e pa vëllanë u pikëllua pa masë. Shtriga
e keqe i tregoi se ku e kishte futur dhe që do ta hante së
bashku me të. Gretela shkoi pranë vëllait dhe qante pa
pushim pasi s'dinte si ta ndihmonte. S'kishte fuqi më për
asgjë. Dhoma ku ishte futur Hansel mbulohej nga gurë të
artë që shndrisnin me forcën e lumturisë. Shtriga e keqe e

urdhëroi Gretelën që të vinte kusinë e madhe në zjarr pasi aty do ziente zemrën e saj dhe të vëllait. Gretela qante pa pushim dhe s'dinte si do shpëtonte nga ky hall. Ajo veproi si i tha shtriga dhe vetëm lutej dhe lutej. Pasi kaloi ca kohë e mirë dhe shtriga shkoi të shikonte nëse uji ishte nxehur, Gretela mori hov dhe e shtyu me gjithë forcën e saj shtrigën e keqe në kusi dhe i vuri kapakun duke e bllokuar përfundimisht.

Ajo u largua me vrap, liroi vëllanë, grumbulluan gurët e artë dhe u larguan nga ai vend. Duke u endur ata mendonin se pse babai i tyre i kishte larguar nga vetja. Ec e ec dhe ja ku u gjendën para fshatit të tyre. Mes dy fëmijëve plasi vaji dhe i shpejtuan hapat duke u gjendur kështu para shtëpisë së tyre. Kur u shfaqën para shtëpisë mes tyre doli babai dhe i përqafoi me mall duke i shpjeguar se pse i kishte larguar, dhe si ishte penduar për atë që kishte bërë. Ai i kërkoi falje fëmijëve dhe i futi brenda. Me këtë rast Hansel dhe Gretel nxorën të gjithë gurët dhe ia dhanë babait duke i thënë që s'do ishin më kurrë të varfër dhe që do jetonin të lumtur përgjithmonë. Ata së bashku larguan nga shtëpia dhe gruan e keqe. Gurët e artë i sollën shumë lumturi, pasuri dhe gëzim Hanselit, Gretelës dhe babait të tyre. Ata jetuan dhe gëzuan deri në fund të jetës së tyre..

Bukuroshja e fjetur

Njëherë e një kohë na ishte një mbret dhe një mbretëreshë. Mbretëresha kishte dashur të kishte një fëmijë për një kohë shumë të gjatë. Një ditë mrekullia më në fund ndodhi dhe të gjitha këmbanat në mbretëri filluan të binin për të njoftuar lindjen e një princeshe të re.

Mbreti dhe mbretëresha organizuan një festë të madhe për pagëzimin e vogëlushes. Të shtatë zanat arritën në festën mbretërore për t'i dhuruar engjëllit të vogël dhuratat e tyre. Ndërsa ishin mysafirë specialë, familja mbretërore kishte përgatitur një dhuratë për secilën prej tyre. Në tryezë përpara secilës prej zanave ishte vënë një kuti prej ari, që mbante një thikë, pirun dhe lugë, të gjitha prej ari rubini dhe diamante.

Ndërsa të ftuarit po shijonin festimin, dera u hap me një përplasje. Ishte një zanë e vjetër, kurrizdal, e veshur me lecka të zeza. Mbreti menjëherë urdhëroi t'i sjellin asaj sende prej ari, por nuk mund t'i jepte asaj një kuti prej ari, sepse kishte bërë vetëm shtatë.

Zana e vjetër mendoi se ata nuk e respektonin sa duhet dhe hodhi mallkime të porsalindurit. Për fat të mirë, ulur pranë saj ishte një zanë e re dhe shumë e mirë, e cila vuri re se sa ashpër po shikonte zana e vjetër foshnjen. Kur zanat dolën, ajo nxitoi të fshihej pas perdeve. Zanat u mblodhën rreth foshnjes dhe njëra pas tjetrës filluan të japin dhuratat e tyre në formë magjie. Më i reja prej tyre dëshironte që princesha të rritej e bukur, e dyta dëshironte që princesha të kishte një shpirt të sjellshëm dhe bujar, e treta dëshironte që princesha të bënte gjithçka me hir. E katërta dëshironte që vajza të kërcente lehtë si pendë, e pesta dëshironte, "të këndojë si zog" dhe e gjashta tha: "Le të luajë të gjitha instrumentet muzikore bukur!".

Ishte radha e zanës së vjetër, ajo u përkul mbi fëmijën "Ju do të shponi gishtin dhe do të vdisni nga plaga!" Kur ajo tha magjinë e saj të tmerrshme, ajo nënqeshi duke treguar dhëmbët e saj të shëmtuar e të verdhë. Në atë moment, më e urta prej zanave, e cila ishte fshehur pas perdeve, doli dhe tha:

"Qetësohuni të gjithë! Princesha nuk do të vdesë, por ajo do të bjerë në një gjumë të thellë dhe të gjatë, i cili do të zgjasë për njëqind vjet, dhe kur të mbarojë ajo periudhë, një princ do të vijë dhe do ta zgjojë."

Zana e vjetër u largua duke qarë sepse nuk mund të bënte më dëm. Për të shmangur vajzën e tij të shponte gishtin e saj, mbreti doli dhe urdhëroi që të gjitha gratë që zotëronin ose përdornin gjilpëra, t'i preheshin kokat.

Kaluan pesëmbëdhjetë ose gjashtëmbëdhjetë vjet dhe asgjë nuk ndodhi. Por një ditë princesha po endej nëpër kështjellë dhe vuri re diçka, shumë kurioze ndërsa ngjitej në kullë. Në një dhomë të vogël ishte një grua e moshuar, që po qepte.

"Çfarë po bëni zonjë?" - pyeti princesha dhe gruaja e moshuar u përgjigj:

"Unë po qep për ty."

Princeshës iu duk interesante dhe vendosi ta provonte. Por, sapo vendosi gishtin, gjilpëra shpoi gishtin e princeshës dhe ajo ra në dysheme. Zonja e vjetër thirri për ndihmë. Në moment erdhën për ndihmë dhe u përpoqën ta ringjallnin. Dikush e spërkati fytyrën me ujë, një tjetër i liroi rrobat, një e tjetër i masazhoi krahët, por princesha nuk u përmend. Mbreti mbërriti dhe para syve të vajzës së tij, atij iu kujtua magjia e zanës.

Mbreti urdhëroi që princesha të vendoset në një shtrat të qëndisur me ar dhe argjend. Ndërsa ajo flinte, bukuria e saj mbeti e gjallë dhe ajo dukej si një engjëll. Kumbara e urtë që i kishte shpëtuar jetën vajzës iu tha se çfarë kishte ndodhur. Ajo nxitoi të arrinte sa më shpejt në mbretëri, sepse ishte dymbëdhjetë mijë milje larg.

Kur mbërriti mbreti e ndihmoi të hiqte pelerinën e saj magjike. Kur pa se çfarë ishte bërë gjatë kohës kur mbërriti, asaj i bëri shumë përshtypje. Sidoqoftë, mendimi që princesha do zgjohej njëqind vjet më vonë, e rrethuar nga njerëz që nuk e dinte e tmerronte zanën, dhe kështu i futi të gjithë në mbretëri në një gjumë të thellë. Dadot, shërbëtorët, fisnikët, ushtarët dhe madje qenushin e vogël të princeshës, ranë në gjumë të gjithë.

Atëherë mbreti dhe mbretëresha fshinë lotët, puthën vajzën e tyre dhe u dha urdhrat që askush të mos i afrohej kalasë. Në më pak se pesëmbëdhjetë minuta pemë të trasha dhe të errëta dhe shkurre u rritën para syve të mbretit dhe mbretëreshës. Askush nuk mund ta shihte kështjellën dhe madje sikur ta shihnin, askush nuk do të kishte guximin të hynte.

Vitet kaluan dhe mbreti dhe mbretëresha vdiqën. Mbretëria ishte akoma dhe nuk mund të dëgjohej asnjë një zë i vetëm nga sallat dhe dhomat. Princesha ishte akoma duke fjetur. Një ditë, njëqind vjet më vonë, një princ i ri po kalonte pranë pyllit i magjepsur, kur papritmas pa diçka që nuk e kishte parë kurrë më parë përmes pemëve ai mund të shihte kullat. Ai pyeti një kalimtar se cilat ishin.

"Nuk jam i sigurt, zotëria im, por mbaj mend që babai im dikur më tregoi një histori për princeshën më të bukur në botë, e cila u mallkua të binte në një gjumë të thellë për njëqind vjet. Një princ është zgjedhuri të jetë i vetmi që mund ta zgjojë."

Nga ky lajm, princi i guximshëm hyri në pyll dhe luftoi për një kohë të gjatë me degë dhe rrënjë. Sapo ai kaloi një pemë, pyjet mbylleshin pas tij. Atij iu duk frikshme por e nxiti veten me mendimin se ai mund të jetë princi i zgjedhur nga tregimi. Princi më në fund arriti në kështjellë. Ai ishte i shokuar kur pa njerëz që flinin kudo! Duke gjykuar nga rrobat e tyre, ata kishin qenë atje për një shekull! Ai nuk hoqi dorë dhe filloi të kërkonte dhomat njëra pas tjetrës, derisa më në fund e gjeti atë. Bukuroshja e Fjetur pesëmbëdhjetë ose gjashtëmbëdhjetë vjeç ishte shtrirë në një shtrat. Princi shkoi në shtrat dhe puthi princeshën. Ajo hapi sytë e saj të bukur dhe i buzëqeshi.

"Kam pritur që të vish", tha ajo.

Të gjithë të tjerët në mbretëri u zgjuan në të njëjtën kohë. Të gjithë u kthyen në vendet e tyre. Princi dhe princesha organizuan një martesë të madhe dhe e ftuan tërë mbretërinë. Kishte ushqim dhe pije për të gjithë. Princi i guximshëm u martua me princeshën e bukur dhe të dy jetuan të lumtur përgjithmonë.

Princi bretkosë

Në kohërat e lashta, nëse doje një dëshirë, realizohej gjithmonë, aty jetonte një mbret, vajzat e të cilit ishin të gjitha të bukura, por vajza më e re ishte aq e bukur sa vetë dielli, të gjithë ishin të mahnitur sa herë që shkëlqente në fytyra e saj.

Pranë kalasë së mbretit shtrihej një pyll i madh dhe i errët dhe nën një pemë të vjetër në pyll ishte një pus. Kur dita ishte shumë e ngrohtë, vajza e mbretit dilte në pyll dhe ulej pranë një burimi të ftohtë, kur ishte në qetësi, ajo merrte një top të artë, dhe e hidhte dhe kjo lojë ishte gjëja e saj e preferuar.

Njëherë ndodhi që, topi i artë i princeshës nuk ra në dorën e vogël që vajza mbante, por shkoi në tokë përtej dhe u rrotullua drejt e në ujë. Vajza e mbretit e ndoqi atë me sytë e saj, por ajo u zhduk tek pusi i thellë, aq i thellë sa nuk mund të shihej fundi. Ajo filloi të qajë, dhe qau me zë të lartë dhe nuk mund të qetësohej. Ndërsa po qahej, dikush i tha asaj:

"Çfarë të shqetëson, bija e mbretit? Qani në mënyrë që edhe një gur të tregojë keqardhje për ju."

Ajo shikoi andej nga erdhi zëri dhe pa një bretkosë që nxori kokën e trashë dhe të shëmtuar nga uji.

"Po qaj për topin tim të artë, i cili ka rënë në pus."

"Qetësohu, dhe mos qaj", u përgjigj bretkosa, "Unë mund të të ndihmoj, por çfarë do të më japësh nëse të jap përsëri topin tënd?"

"Çfarëdo që të dëshironi, e dashur bretkosë," tha ajo. "Rrobat e mia, perlat dhe xhevahiret, madje edhe kurorën e artë që unë mbaj. Unë ju premtoj gjithçka dëshironi, nëse do të më ktheni përsëri topin tim."

"Unë dua të jem shoku jot", tha bretkosa.

Princesha pranoi dhe mendoi: "Si mund të flasi bretkosa duket pa kuptim! Ajo jeton në ujë me bretkosat e tjera dhe nuk mund të jetë shok me asnjë qenie njerëzore!"

Bretkosa, kur e mori këtë premtim, e futi kokën në ujë dhe u zhyt, dhe pas një kohe të shkurtër u ngrit përsëri duke notuar me topin në gojë dhe e hodhi mbi bar. Vajza e mbretit ishte e kënaqur kur pa edhe një herë topin e saj të bukur, e kapi dhe filloi të ikte.

"Prit, prit", tha bretkosa. "Më merr me vete. Unë nuk mund të vrapoj siç mundesh ti." Bretkosa bërtiti gocës me zë të lartë sa mundi. Ajo nuk e dëgjoi, por vrapoi në shtëpi dhe shpejt harroi bretkosën, e cila u detyrua të kthehej përsëri në pusin e saj.

Të nesërmen kur ishte ulur në tryezë me mbretin dhe të gjithë oborrtarët, dhe po hante nga pjata e saj e vogël e artë, diçka erdhi me spërkatje, deri te shkallët e mermerit, dhe kur kishte arritur në majë, trokiti në derë dhe bërtiti,

"Princeshë, princeshë, hape derën për mua".

Ajo vrapoi të shihte se kush ishte jashtë, por kur hapi derën, ishte bretkosa para saj. Pastaj ajo përplasi derën, me nxitim të madh, u ul përsëri dhe u frikësua mjaft. Mbreti e pa qartë se zemra e saj po rrihte fort dhe tha:

"Vogëlushja ime, nga çfarë frikësohesh? A ka ndonjë gjigand që dëshiron të të çojë larg?"

"Jo", u përgjigj ajo. "Nuk është gjigant por një bretkosë e neveritshme".

"Çfarë kërkon një bretkosë nga ty?"

"I dashur baba, dje ndërsa isha në pyll e ulur pranë pusit, duke luajtur, topi im i artë ra në ujë. Dhe për shkak se unë qava, bretkosa e nxori topin për mua, dhe ajo insistoi, i premtova që ai të ishte shoku im, por kurrë nuk kam menduar se ajo do të mund të dilte nga uji! Dhe tani është aty, dhe dëshiron të vijë tek unë".

Ndërkohë trokiti për herë të dytë dhe thirri: "Princeshë! Princeshë! Hape derën për mua! Nuk e dini se çfarë më keni thënë, dje pranë ujit të burimit? Princeshë! Princeshë! Hape derën për mua!"

Pastaj mbreti tha:

"Atë që ke premtuar, duhet ta bësh. Shko dhe lëre të hyjë."

Ajo shkoi e hapi derën, dhe bretkosa u hodh brenda dhe e ndoqi, hap pas hapi, në karrigen e saj. Ajo u ul dhe thirri:

"Më lë pranë teje".

Ajo vonoi, derisa më në fund mbreti e urdhëroi që ta bënte. Kur bretkosa hipi në karrige ajo donte të ishte në tryezë, dhe kur ishte në tryezë tha:

"Tani, më shtro pjatën tënde të vogël të artë pranë meje që të mund të hamë së bashku."

Ajo e bëri këtë, por ishte e lehtë të shihej që ajo nuk e bëri atë me dëshirë. Bretkosa shijoi atë që hëngri. Ajo tha:

"Kam ngrënë dhe jam e kënaqur; tani jam e lodhur, më çoni në dhomën tënde të vogël dhe bëj gati shtratin tënd të vogël të mëndafshtë, dhe ne të dy do të shtrihemi dhe do të shkojmë të flemë".

Vajza e mbretit filloi të qante, sepse ajo kishte frikë nga bretkosa, të cilën nuk i pëlqente ta prekte, dhe e cila tani kishte për të fjetur në shtratin e saj të bukur, të pastër. Por mbreti u zemërua dhe tha:

"Ajo që të ndihmoi kur kishe nevojë nuk duhet të përçmohet."

Kështu ajo e kapi bretkosën me dy gishta, e çoi lart dhe e futi në një qoshe. Kur ishte në shtrat, ai u zvarrit dhe i tha:

"Jam lodhur, dua të fle edhe ti. Më ngri lart ose do t'i them babait tënd."

Atëherë ajo u tërbua jashtëzakonisht shumë, e ngriti dhe e hodhi me të gjithë forcën kundër murit.

"Tani do të rri qetë, bretkosë e tmerrshme," tha ajo.

Por kur u përplas nuk ishte bretkosë, por bir i një mbreti me sy të mrekullueshëm. Ai, sipas fjalëve të babait të saj, tani ishte shoku dhe burri i saj i dashur. Pastaj ai i tha asaj se atij i kishin bërë magji nga një magjistare e lig, dhe si askush nuk mund ta shpëtonte atë nga pusi, dhe se nesër ata do të shkonin së bashku në mbretërinë e tij. Atëherë ata shkuan për të fjetur dhe në mëngjes, kur dielli i zgjoi, erdhi një karrocë që lëvizte me tetë kuaj të bardhë, të cilat kishin pendë të bardha mbi kokat e tyre, dhe kapeshin me zinxhirë të artë, dhe pas tij qëndronte shërbëtori besnik i mbretit, Henri. Henri shërbëtori besnik, kishte qenë aq i pakënaqur kur zotëria i tij ishte ndryshuar në një bretkosë, sa që ai kishte bërë që të vendoseshin tre shirita hekuri përreth zemrës së tij, në rast pikëllimi dhe trishtimi. Karroca ishte për ta çuar mbretin e ri në Mbretërinë e tij.

Besniku Henri i ndihmoi ata të dy, dhe i vendosi prapa, dhe ishte plot gëzim për shkak të këtij fundi të mrekullueshëm të problemeve. Kur ata kishin kaluar një pjesë të rrugës, djali i mbretit dëgjoi një plasaritje pas tij sikur diçka të ishte thyer. U kthye dhe bërtiti,

"Henri, karroca po prishet".

"Jo, zotëri, nuk është karroca. Ishte një brez nga zemra ime, e cila ishte e vendosur atje prej dhimbjes time të madhe kur ishe një bretkosë dhe burgosje në pus."

Përsëri dhe një herë, ndërsa ata ishin në rrugën e tyre, diçka plasariti, dhe çdo herë djali i mbretit mendonte se karroca po thyhej; por ishin vetëm brezat që buronin nga zemra e Henrit besnik sepse zotëria e tij u la i lirë dhe ishte i lumtur.

Dhelpra, ujku dhe deti

Dhelpra pati fatin të jetonte në një strofkë të rehatshme pikërisht pas një dune rëre, pikërisht buzë detit. Çdo ditë, ajo binte në gjumë duke dëgjuar përplasjen e butë të valëve në breg.

Do të kishte qenë një jetë paqësore, e lumtur nëse nuk do të ishte për ujkun plak të keq që jetonte në pyllin aty pranë. Sa herë që dhelpra përpiqej të gjuante për ushqim, ujku plak e përndiqte, duke i rrëmbyer darkën dhe duke i këputur bishtin. Ujku i trembi kështu të gjitha kafshët e pyllit.

"Ky është pylli im," rënkoi ujku.

Dhelpra kishte filluar të dëshpërohej. Ajo me siguri do të vdiste nga uria nëse nuk do të hante diçka së shpejti dhe i gjithë ushqimi më i mirë ishte në pyll. Një natë, barku i saj po murmuriste nga uria, kështu që ajo doli me një plan. Ajo u fut në pyll dhe filloi të gjuante për të ngrënë. Nuk kaloi shumë kohë dhe ujku u hodh nga pas një peme.

"Të thashë, dhelpër, ky është pylli im!" tha ai. "Vetëm unë mund të gjuaj këtu."

"Oh, unë nuk jam duke gjuajtur," tha dhelpra. "Barku im është shumë i mbushur për këtë. Unë thjesht po bëja një shëtitje për të më ndihmuar të tretja ushqimin e mrekullueshëm që kam ngrënë sot." Ujku dukej kureshtar.

"Ku e gjete këtë ushqim të mrekullueshëm?"

"Nuk mund ta them këtë!" tha dhelpra. Ujku zbardhi dhëmbët dhe i rënkoi në mënyrë kërcënuese. "Epo, nëse premtoni se do ta mbani sekret, mendoj se mund t'jua them," tha dhelpra duke u dridhur. "Çdo ditë, unë ha dhe bëj gosti të madhe nga deti."

"Çfarë është deti?" pyeti ujku. Ai kurrë nuk e kishte lënë pyllin në jetën e tij.

"Është një trup i madh dhe i pafund uji pikërisht pranë strofkës sime," shpjegoi dhelpra, "dhe gjëja më e mirë është se unë di si ta kontrolloj atë. Unë mund t'i bëj valët e detit të shkojnë përpara dhe mbrapa dhe, kur hyjnë, më sjellin ushqim. Nuk më duhet të bëj asnjë punë." Ujku u ndje i pangopur për një gosti të lehtë si kjo dhe befas u bë mjaft I butë.

"E dashur dhelpër, nuk e kam parë kurrë detin. Do ma tregosh?"

"Sigurisht," tha dhelpra dhe e çoi ujkun nga pylli dhe mbi dunat e rërës drejt detit.

Ata qëndruan në breg dhe dhelpra u thirri valëve:

"Det! Shoku im ujku është këtu të të shohë, kështu që duhet të hysh dhe të dalësh kur të them! Tani, hyr, të lutem!"

Valët nxituan drejt këmbëve të tyre, duke mbajtur një grumbull guralecash, guackash dhe alga deti.

"Këto janë të mira, miku im, por ëmbëlsirat më të mira dhe më të mëdha janë pak më larg nëse nuk e ke problem t'i lagësh këmbët," tha dhelpra. "Ka peshq të yndyrshëm dhe të shijshëm atje." Ujkut i lëshoi goja lëng ndërsa dhelpra i thirri detit: "Valët, dilni përsëri, ju lutem!" Valët u tërhoqën.

Ujkut i bëri përshtypje fuqia e dhelprës dhe e kishte zili që dhelpra e kishte gjithë këtë ushqim për vete. Ai qëndroi duke parë ndërsa dhelpra urdhëroi valët të hynin dhe të dilnin përsëri. Më në fund, ujku tha:

"A mund të shkoj në det dhe të ha, të lutem?"

"Sigurisht, mund të shkosh aq larg sa të duash," tha dhelpra. "Ju nuk keni nevojë të shqetësoheni pasi deti do të bëjë siç them unë."

Kështu ujku budalla, i cili tashmë e kishte barkun plot, hyri në detin e ftohtë, duke shpresuar për një vakt të lehtë. Ai shkoi gjithnjë e më tej në valët e ftohta që përplaseshin derisa ishte shumë larg bregut. Pastaj, befas, një valë e madhe u ngrit drejt tij dhe e rrëmbeu menjëherë nga këmbët. Ai shkoi në detin e madh e të pafund, për t'u mos parë më kurrë. Falë planit dinak të dhelprës, kafshët e pyllit jetonin jetë të qetë, të lumtur dhe kishin shumë ushqim për të ndarë mes tyre.

Kësulëkuqja & Përralla të tjera të famshme
Botimi I
5′ x 8′ – 103f

www.librashqip.al